DU MÊME AUTEUR

Aux Éditions Gallimard

REUBEN
L'INCENDIE DE PHILADELPHIE
LE MASSACRE DU BÉTAIL
SUIS-JE LE GARDIEN DE MON FRÈRE ? (Folio n° 3278)
DEUX VILLES

Du monde entier

JOHN EDGAR WIDEMAN

DAMBALLAH

Traduit de l'anglais (États-Unis)
par Jean-Pierre Richard

GALLIMARD

Le traducteur remercie de leur aide l'auteur et le Centre national du livre et dédie sa traduction à la mémoire de Rémy Lambrechts.

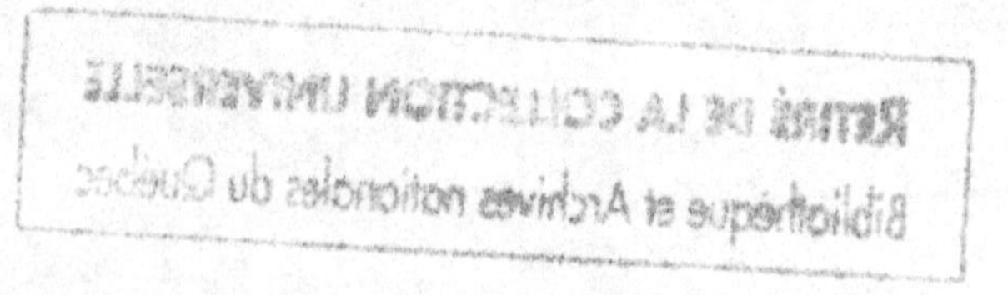

Titre original :

DAMBALLAH

POUR ROBBY

Les histoires sont des lettres. Des lettres envoyées à n'importe qui, à tout le monde. Mais les plus belles sont faites pour être lues par quelqu'un en particulier. Celles-là, quand on les lit, on sait qu'on écoute aux portes. On sait qu'une vraie personne quelque part lira ces mêmes mots qu'on est en train de lire, et c'est elle seule que l'histoire regarde : nous, on n'est qu'un fantôme qui tend l'oreille.

Tu te rappelles. Je crois que c'est Geral que j'ai entendue la première dire qu'une pastèque, c'était une lettre du pays. Après toutes ces années je comprends un peu mieux ce qu'elle entendait par là. Elle disait que la pastèque, c'était une lettre qu'on nous adressait. Une histoire à notre intention en provenance du pays. Le pays, c'est-à-dire partout où n'étions jamais allés : le Sud des champs de coton, l'ancien temps, l'esclavage, l'Afrique. Ce message juteux et zébré, à pulpe rouge et à pépins (toujours pour moi comme des cafards), c'était la négrité en tant que croix et que célébration, une Histoire dont nous pouvions connaître le goût. Et cette lettre nous était destinée. Nous était adressée. On était censé l'ouvrir et assurer.

Vois dans les histoires ici réunies autant de lettres du pays. Étant gosse, je n'ai jamais aimé la pastèque. Je crois me rappeler que toi si. Tu n'avais pas peur de devenir illico, dès que tu aurais croqué le fruit défendu, un nègre, de te retrouver perché, pieds nus, noir de jais, les yeux ronds et les lèvres dégoulinantes, sur la clôture de ton Maît'e. Moi j'avais trop la frousse, pour en profiter. J'étais trop gêné. J'ai laissé les autres me dérober un plaisir simple. Et pour moi la pastèque, c'est encore souillé. Mais je ne tombe plus dans le panneau. J'aime y penser, dans l'abstrait, même si je ne sais toujours pas m'éclater avec une vraie.

Bref… ces histoires sont des lettres. De toi à moi, et depuis trop longtemps en souffrance. Si seulement elles pouvaient démolir les murs. T'arracher d'où tu es.

DAMBALLAH

bon serpent du ciel

« Damballah Wedo est le père immémorial et vénérable ; absolument immémorial et vénérable, comme datant d'un monde antérieur aux problèmes ; et ses enfants entendaient qu'il reste ainsi ; image de l'innocence paternelle, bienveillante, le noble père à qui l'on ne demande rien d'autre que sa bénédiction... Il n'existe quasiment aucune forme précise de communication avec lui, comme si sa sagesse revêtait une telle ampleur cosmique et relevait d'une telle innocence qu'elle ne pouvait percevoir les petits soucis de sa progéniture humaine ni se traduire en un langage humain d'une précision trop mesquine.

« C'est toutefois ce détachement même qui est source de réconfort et qui témoigne une fois de plus d'une vigueur originelle et primitive ayant su rester inaccessible à toute Histoire, à toute immédiateté susceptible de l'entamer. La seule présence de Damballah, comme la simple et distraite caresse d'une main paternelle, apporte la paix... Damballah échappe lui-même aux contingences du vivant et est donc à la fois le passé immémorial et l'assurance de l'avenir...

« Associés à Damballah en tant que membres du Panthéon Céleste, on trouve Badessy, le vent, Sobo et Agarou Tonerre, le tonnerre... Ceux-là semblent appartenir à une autre période. Mais précisément parce que ces divinités sont à certains égards des vestiges, elles donnent, tout comme le détachement de Damballah, un sentiment de profondeur historique, d'une origine immémoriale des hommes. Les invoquer aujourd'hui, c'est toucher du doigt ces temps anciens et rassembler l'Histoire en un socle contemporain, ferme et massif, sous nos pieds. »

L'un des chants servant à invoquer Damballah exige de lui qu'il « Rassemble la Famille ».

Extrait de *Chevaux divins :*
Les dieux vaudou d'Haïti,
de Maya Deren

GÉNÉALOGIE

1860 Sybela et Charlie arrivent à Pittsburgh ; ils ont alors deux enfants ; dix-huit autres naîtront au cours des vingt-cinq années suivantes.

1880 Maggie Owens, fille aîné de Sybela et de Charlie, épouse Buck Hollinger ; met au monde neuf enfants, dont quatre filles : Aida, Gertrude, Gaybrella, Bess.

1900 Les filles Hollinger se marient — Aida épouse Bill Campbell ; Gaybrella, Joe Hardin (trois enfants : Fauntleroy, Ferdinand, Hazel) ; Bess, Riley Simpkins (un fils unique : Eugene) — sauf Gert, qui est mère célibataire. Aida et Bill Campbell élèvent Freeda, la fille de Gert.

1920 Freeda Hollinger épouse John French ; quatre enfants survivront : Lizabeth, Geraldine, Carl et Martha.

1940 Lizabeth French épouse Edgar Lawson ; ils auront cinq enfants, dont John, Shirley et Thomas.

1960 Les enfants de Lizabeth commencent à se marier et à se reproduire — pas toujours dans cet ordre.

John épouse Judy et engendre deux fils (Jake et Dan) ; Shirley épouse Rashad et met au monde trois filles (Keesha, Tammy et Kaleesha) ; Tommy épouse Sarah et engendre un fils unique (Clyde), etc.

ARBRE GÉNÉALOGIQUE

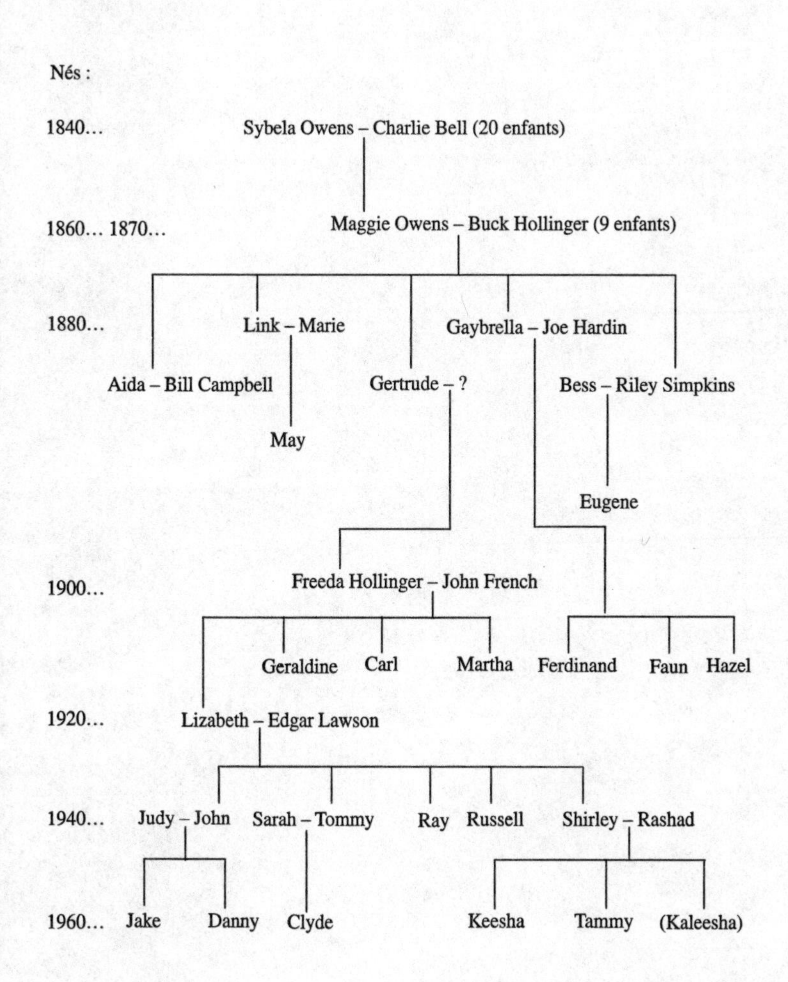

DAMBALLAH

Orion laissa la toile grise et morte coulisser le long de ses jambes et s'avança dans la rivière. Se frayant un chemin parmi les pierres glissantes, il eut bientôt de l'eau jusqu'en haut des mollets. Alors, en appui sur un genou, il s'aspergea le bas-ventre, puis à pleines paumes la poitrine, frottant, massant vivement des deux mains, en spirale. Quand il se releva, il regarda les nuages gris, au loin. Comme de la pluie qui s'annonçait dans l'air glacé du matin, une vague présence, fraîche et pure, qui montait des collines là-bas. Promesse de pluie qui lui parvenait à la façon dont toutes choses semblaient lui parvenir ces derniers mois, non par les yeux, les oreilles ou le nez mais directement à travers sa peau noire comme si chaque pore avait appris à sentir et à parler.

Il regarda l'eau claire courir, se rider, se plisser. Là où le soleil perçait les pins et où ses rayons obliques traversaient l'eau, il apercevait le fond, distinguait des pierres noires, des mouchetées et d'autres qui brillaient, d'une lumière intérieure. Au-dessus d'une souche, sur la rive opposée, planaient des nuées d'insectes. Là-bas l'eau était plus sombre, plus lente, semblait stagner en mares profondes où tombaient de la berge, tout enchevêtrées, racines, plantes, touffes et broussailles. Orion revit le doyen des prêtres dessiner à la craie sur le sol de l'*obi* sacré. Il dessinait la porte des eaux que main vivante ne saurait pousser, le carrefour où les esprits passaient d'un monde à l'autre. La peau d'Orion commençait à ressembler à cet entre-deux que le prêtre grattait dans la poussière. Quand il avançait entre les rangs de canne à sucre et sur les pistes de la plantation, il sentait l'air de cette contrée étrangère user sa peau, frottée de plus en plus fine, jusqu'au jour où elle ne serait plus assez épaisse pour séparer l'intérieur de l'extérieur. Certains jours elle lui murmurait qu'il était en train de mourir. Mais il n'avait pas peur. L'irruption des voix et des visages de ses aïeux ne le noierait pas. Leurs flots l'emporteraient, le ramèneraient au pays.

Dans son village de l'autre côté de la mer il était des hommes qui chassaient et pêchaient à la voix. Des hommes sachant, avec les mots, tirer de leurs niches d'ombre les poissons vers les paniers tressés suspendus aux épaules. Et Orion savait que les poissons de cette froide rivière avaient oublié sa présence, qu'ils fusaient partout entre ses jambes. Si les Blancs ne l'avaient pas volé, il aurait appris la magie des pêcheurs. Les mots justes, les bonnes intonations pour plaire au poisson. Mais ici sur cette terre imbibée de sang tout était différent. Même s'il sentait leurs corps lisses et voyait soudain la surface de l'eau se rider à l'endroit où ils montaient se nourrir, il comprenait qu'il ne parlerait jamais le langage de ces poissons-là. Tout comme il ne prononcerait plus jamais les mots de ces Blancs qui avaient décidé de le tuer.

Le petit est encore là ce matin, il se cache derrière les arbres. Ça pourrait être le bon. Ce garçon né si loin du pays. Lui qui sait uniquement ce que les Blancs lui racontent. Il pourrait apprendre l'histoire et à son tour la raconter. Le temps presse mais ça pourrait être lui.

« C'est un fou, ce nègre-là. Un de ces sauvages à peine sorti de sa jungle qui se conduit comme s'il débarquait du bateau. Le genre d'oiseau à éviter, à moins de chercher les histoires. » Tante Lissy s'était arrêtée d'écosser les haricots et, les sourcils froncés, le regardait. On n'entendait plus la pluie des grains tambouriner dans le chaudron de fer et la tante essayait de ressembler à l'un des pit-bulls du Maître : bref, elle avait fini de s'exprimer sur le sujet et lui-même était prié de s'en tenir là. Lorsque les longues gousses vertes reprirent leur navette entre les doigts de Tante Lissy, on aurait dit qu'elle faisait craquer ses doigts et il s'attendait à voir dans l'énorme chaudron des bouts noirs tomber.

« On va avoir droit à une saucée, on dirait. J'ai entendu cette nuit les grenouilles chanter aux nuages. La Mère Grenouille et toute sa tribu qui appelaient le tonnerre. S'il pleut pas bientôt, les champs vont cuire et partir en poussière. » Il songea aux hommes qui s'en allaient tous les matins aux champs. Les uns bruns de peau, les autres ocre, d'autres avec des reflets rouges et certains blancs comme le Maître. Orion était noir mais Tante Lissy encore plus. D'un bleu noir, gras et luisant comme une aile de corbeau.

« Fou à lier. » Elle et son bavardage. Son bavardage et ses histoires idiotes. Il avait envie d'entendre autre chose que des discours de vieille. Grenouilles, ours et autres lapins lui ressortaient par les yeux. Il était presque grand maintenant, presque en âge de partir le matin avec les hommes. De quoi pouvaient-ils bien parler, eux ? La voix d'Orion ressemblait-elle aux appels qu'il entendait tôt le matin alors que les hommes étaient encore tout endormis et le ciel tout noir : on ne voyait personne mais on savait les autres là quand cris et appels s'élevaient dans la brume.

Les aiguilles de pin crépitaient à chacun de ses pas et il savait que le vieil homme se savait épié. Et par qui. Mais si le vieux nègre savait, il s'en fichait. Il était là à patauger dans l'eau comme seul au monde. Peut-être comme si le monde n'existait pas. Rien que lui et ce coin tranquille au milieu de la rivière. Il devait être en train de pêcher là-bas, avec une de ces drôles de méthodes, comme autrefois en Afrique. Personne ne l'avait jamais vu toucher aux aliments venant du Maître, or il mangeait forcément quelque chose, même s'il était à moitié fou, et donc il devait sûrement pêcher de quoi se nourrir le matin. Planté là debout comme un bâton dans l'eau, jusqu'à ce que les poissons oublient son existence et hop ! il en attrapait un, de ses doigts crochus.

Échassier noir dans la rivière au frais murmure. Le garçon cessa de mâchouiller sa tige de canne, en laissa le jus suave se mêler à la salive, en un sirop tiède dont il fit durer la saveur : au lieu d'avaler il s'en enduisit la langue et l'intérieur de la bouche, aussi patient que la silhouette dans l'eau, jusqu'à épuisement de la douceur. Tout le jus de canne avait déjà coulé lentement dans sa gorge, lorsqu'il vit Orion bouger. Après l'immobilité et l'illusion de voir à la place de l'homme un arbre enraciné dans le lit rocheux de la rivière, lorsque vint le mouvement, il fut trop rapide pour que l'œil suive. Non, il ne vit pas Orion bouger : il sentit ses yeux en lui, pris au hameçon de ce regard avant même de pouvoir s'accroupir un peu plus dans les joncs. Les yeux d'Orion sur lui et à travers lui, qui foraient un trou dans sa poitrine et y enfonçaient un seul et unique mot *Damballah.* Puis les yeux aux paupières tombantes n'étaient plus là.

Sur une cuillère on voit que la forme d'un visage est un œuf. Ou deux œufs car on peut transformer la forme d'un long ovale en lunes pincées ensemble le long de leur couture médiane ou en un œuf de n'importe quelle forme si on incline la cuillère et qu'on l'éloigne ou la rapproche.

Il n'y a rien à quoi penser. Tu descends avec Maîtresse au cellier jusqu'à la malle. Elle te guide à la chandelle et tu fais un petit sac de toile douce et y dépose avec soin chaque cuillère et fais attention que ça ne tinte pas quand tu ressors de l'obscurité derrière le froufrou de ses robes et jupons et remontes les marches en terre, dont chacune est recouverte d'une planche qui branle sous ton pied. Tu suis le flambeau qu'elle tient et l'étrange odeur qu'elle laisse dans son sillage, au long des pièces. Après, tu es enfermé entre quatre murs toute la journée sans rien à quoi penser. Avec des chiffons et de l'argenterie. Lentement tu frottes les ternissures ; c'est la même impression que lorsqu'on découvre quelque chose de surprenant dont on connaissait depuis toujours la présence. Les cuillères couchées sur la bande indigo : poissons luisants, parfaits, que tu as doucement fait sortir de l'eau noire.

Damballah : voilà le mot. Il l'a répété à Tante Lissy, qui aussitôt lui a flanqué une de ces gifles… Tellement ça faisait mal, il n'avait qu'une envie, s'effondrer sur place dans la poussière de la cour, mais il se mordit la lèvre, ne hurla pas : il tint bon et se répéta vingt fois le mot dans sa tête comme si sur sa joue en feu ne s'était posé qu'un malheureux insecte, d'une petite contraction aussitôt chassé. Damballah. Se montrer aussi fort qu'il le fallait. Ça ne le touchait pas, s'il ne voulait pas. On ne tarderait plus à le séparer du troupeau des négrillons. Fini de chasser les mouches quand les autres étaient à table, fini d'astiquer des cuillères d'argent, fini d'avoir une grosse vieille à le commander. Il irait aux champs tous les matins avec les hommes. Lancerait ses cris comme eux avant que le soleil se lève et consume la brume. Travaillerait comme eux du matin jusqu'au soir. Des premières lueurs du jour jusqu'au crépuscule, à l'heure où les flaques d'ombre s'étalaient, s'épaississaient, et l'on ne voyait plus ni ses mains ni ses pieds, ni les lames coupant la canne.

Il était déjà plus grand que les autres, cigogne au milieu des poussins filant derrière la tante. Bientôt il se lèverait au son de la conque et travaillerait à son tour comme un homme, aussi avait-il laissé le feu faire rage sur tout un côté de sa figure et il pensa au rien auquel il pouvait toujours penser. Sur la cuillère, sa tête longue et mince comme un doigt. Il chercha des yeux la marque laissée sur sa joue par la main noire de Lissy mais l'image bougeait. Dansait comme le reflet de son visage dans la rivière. Damballah. « Jamais, tu m'entends, jamais je veux plus entendre ce langage de païen. Tu m'entends ? Maintenant, mon bonhomme, tu parles méricain. » Un vrai caquetage de poulet, la voix de Lissy. Et sa tête à lui, une étable pleine de bruits de bêtes et d'odeurs animales. C'était sa tête mais il n'était plus vraiment chez lui. Trop de monde à s'y entasser avec lui. Tellement de monde et de bruit dans sa tête que bien souvent il ne s'entendait plus lui-même avec tous les autres à braire et à caqueter.

Orion s'accroupit comme le garçon avait vu les autres vieux se mettre à croupetons et se figer telle une souche. Leurs genoux osseux haut pointés et le postérieur en appui sur les chevilles. Ils donnaient l'impression de pouvoir rester ainsi toute la journée, les jambes repliées sous eux comme des ailes. Orion traça une croix dans la poussière. Damballah. Quand il passa les mains au-dessus de la croix, l'air parut miroiter comme souvent à la pointe d'une flamme ou quand le soleil est si brûlant qu'on voit des ondes de chaleur monter des champs. Il s'adressa au vide qu'il créait ainsi de ses longs doigts noirs. Il avait les yeux fermés. Le vieil homme ne parlait pas mais il sortait de lui des bruits que le garçon n'avait encore jamais entendus : mots inconnus, claquements de langue, sifflets et marmonnements. Une psalmodie dont la plainte épousait l'incessant mouvement des mains au-dessus de la croix. Et tel un roulement de tambour au sein de la mélopée, Damballah. Damballah : un lieu où le garçon pouvait pénétrer, un son familier dont il commençait à anticiper le retour, un bruit extérieur à lui qui lentement l'envahissait, un bruit qui mesurait son pouls puis vint à se confondre avec les relances de son flux sanguin.

Il entendit une partie de ce que Lissy racontait à Primus dans l'arrière-cuisine : « V'là Orion qui hurle ce mot de païen en plein milieu du sermon de Jim sur Doux Jésus Fils de Dieu. Un bond comme si un serpent l'avait mordu, et ce mot qu'il crie, alors tout le monde se tait, même les Blancs venus entendre Jim prêcher. Et ce nigaud debout au fond de l'église, qu'on aurait dit une loupe enlevée au front de quelqu'un. Il avait l'air d'un nègre pris la main dans le poulailler. Des ululements de chat-huant complètement fou alors que Jim prêchait la parole du Seigneur. Un de ces quatre ils vont tuer ce simplet de nègre-là. »

> Cher Monsieur :
>
> Le nègre Orion, que je vous ai acheté de bonne foi sans voir sur pièce, en vertu de la promesse que vous m'aviez faite qu'il était sain de constitution « esclave domestique adulte et en bonne santé sachant lire, écrire, connaissant le calcul et l'arithmétique » pour citer les termes exacts de votre lettre datée du 17 avril 1852, s'est révélé être un fardeau, une perte pour l'économie de ma plantation, plutôt que l'atout dont je me figurais résolument prendre possession en acceptant de payer le prix que vous demandiez. De la soi-disant intelligence si rare chez ceux de son espèce, je n'ai rien vu. Pas un mot d'anglais n'est sorti de sa bouche depuis son arrivée. De sa docilité, de sa malléabilité, je n'ai vu que la détermination avec laquelle il expose le cuir de son dos aux coups de fouet que

lui vaut sa perpétuelle indiscipline. C'est un être dont les grossières habitudes me feraient honte s'il appartenait ne serait-ce qu'à mon chenil. Il est étrange de consacrer tant de lignes à un quelconque nègre, mais rarement ai-je été à ce point frappé de la disparité entre promesse et résultats. Comme sa présence ne m'a valu que de la dépense et du dérangement, ce ne serait que justice que vous me retournassiez en totalité le montant que j'ai déboursé pour cette *pièce d'Inde* défectueuse.

Vous connaissez mon caractère franc, honnête et juste. Et c'est ma considération pour ces mêmes vertus en vous qui me pousse à vous écrire cette lettre. Je ne suis pas un maître cruel et m'emploie à répondre à tous les besoins de mes esclaves, tant spirituels que temporels. Mon nègre Jim est connu dans tout notre district pour ses talents de prédicateur. Beaucoup m'accusent de sottise, disent que c'est gaspiller la parole des Saintes Écritures que d'y exposer ces noirs sauvages. Je crains que vous ne m'ayez envoyé une preuve vivante à l'appui des critiques dont fait l'objet mon grand dessein évangélique. Quant aux propriétés humaines dont j'ai noté l'absence chez cet Orion, il est totalement dépourvu d'âme.

Elle a dit que l'heure était venue pour Orion de mourir. Il a pratiquement réduit le contremaître en miettes quand il l'a renversé de son cheval ce matin. Et tout le monde a cru que ce fou de nègre-là s'était enfui mais Maîtresse est tombée dessus à l'heure du dîner assis sur la véranda du Logis, nu comme un ver, et il est resté là à la regarder droit dans les yeux, jusqu'à ce qu'elle hurle et se sauve Tante Lissy dit que ce nègre-là il regarde pas les femmes, qu'il en a pas touché une depuis son arrivée et elle dit que c'est pas le premier cul noir que Maîtresse a vu quand y a tous ces grands gaillards qui se baladent l'été en chemise, la seule que le Maître leur a donnée et qui leur descend à peine aux genoux, et que les nègres, hommes ou femmes, ont pas droit à la moindre culotte. Non, les Maîtres en ont vu d'autres. C'est pas ce qu'elle a vu qui lui a fichu la frousse, à moins qu'elle a vu l'esprit en train de quitter le corps du vieux.

L'esprit d'Orion ne s'échapperait sûrement pas du haut de sa tête comme de la vapeur. Le garçon se rappela les hommes en nage rentrés des champs au crépuscule quand les soirs commencent à fraîchir de bonne heure, oui il se les rappelait, la gourde à la main, puisant l'eau dans le baquet que lui-même emplissait : ils renversent la tête et des deux côtés de la bouche s'échappe un filet d'eau qui leur dégouline sur le menton et qu'ils laissent rouler sur leur poitrine, les épaules fumantes. Non, l'esprit d'Orion ne monterait pas comme toute cette vapeur mais chercherait à sortir, frétillant, de sa peau pour partir dans la rivière et en remonter le courant.

Le garçon connaissait toute sorte d'esprits et apprenait à déjouer leurs stratagèmes. Certains étaient presque agréables à fréquenter et il comblait de cliquetis et de sifflets le rien sempiternel, effectuait souvent un détour, chantait pour eux à l'approche d'un carrefour et avant d'entrer quelque part criait *hou-hou !* Impossible de les berner si le sort est vraiment contre toi, impossible d'échapper au fouet s'il est dit que c'est le jour du fouet mais les esprits ont la haute main sur tout, même sur les Blancs. Tu sais qu'ils sont là à flotter dans les airs, qu'ils regardent, comptent, enregistrent les coups dont le Maître te cingle le dos.

Ils traînèrent Orion à travers la cour. Il ne donnait ni ruades ni coups de pied mais c'était comme si les quatre hommes qui le portaient s'étaient attaqués à une pierre géante plutôt qu'à un sac d'os noirs. Son poids de nègre gris cendre se balançait entre les deux fois deux porteurs blancs tel un hamac indolent mais les autres étaient cramoisis, grimaçants. Ils soufflaient comme des bœufs, en nage, à transbahuter ainsi la carcasse d'Orion jusqu'à l'étable. La sécheresse avait nappé la cour d'une couche de poussière. Des mini-averses de jaune giclaient sous le pas des hommes. Ils avançaient à pas pesants, pénibles, comme si chacun avait à lui tout seul porté cet Orion sur les épaules. Quatre hommes adultes aux prises avec une maigre brasse de chair noire. Le garçon n'avait jamais vu autant de Blancs s'occuper d'un seul nègre. Tante Lissy avait dit que l'heure était venue de mourir et il se demanda ce que l'esprit d'Orion penserait au moment de tomber dans la poussière entouré des mines renfrognées du Maître et de ses contremaîtres.

Cette nuit-là un cri, un seul. Comme un taureau à qui on tranche sa virilité. Impossible de dire qui c'était. Le cri d'un taureau dans la nuit, l'étable éclairée de torches, le Maître et les hommes en sortent et pas d'Orion.

Maîtresse pleurait derrière sa porte verrouillée et le Maître parti dans une case tripoter Patty.

Sous la lumière matinale l'étable enflait, s'élevait, chancelait dans la poussière jaune, instable comme le spectre de quelque chose qu'on attrapait sur une cuillère, pour jouer avec, le déformer, le tordre. Cette cendre dorée au bas de toutes les jambes. Personne ne parlait. Ni cris ni appels en provenance des champs. Le garçon épia, à en avoir mal aux yeux, guettant le moment de pouvoir se glisser secrètement dans l'étable frémissante. À quatre pattes ; caché sous un chariot ; puis en crabe jusqu'aux planches déclouées par où se faufiler, le trou de souris laissé par la vieille porte déboîtée.

À l'intérieur de l'étable tout n'était qu'ombres. Passé le rai de lumière filtrant par la fente de la porte, il attendit, sans bouger, que ses yeux s'ajustent à l'obscurité. Il distingua d'abord les meules de foin, les cloisons rudimentaires entre les bêtes. Y régnaient les mêmes odeurs, la même chaleur suffocante que d'habitude mais ces sensations familières se trouvaient dominées par le bourdonnement des mouches, virulent, comme si l'étable s'était mise à respirer et qu'à chaque souffle les parois en tremblent. Alors les yeux du garçon suivirent ce vrombissement jusqu'à un espace dégagé, contre le mur du fond, au centre. Là-bas gisait une forme noire. Là-bas gisait Orion, dans une flaque de sang. Le garçon se rua sur les masses de mouches. Quand il frappa du pied, certaines s'élevèrent du cadavre. Ivres du sang chatoyant, d'autres l'ignorèrent et se contentèrent de se joindre à celles qui planaient au-dessus du corps, bruyantes, mécontentes. Il pouvait empêcher les mouches de se poser mais toujours elles revenaient, des recoins du plafond tout là-haut, des coins sombres du bâtiment, pour reformer une nuée au-dessus du cadavre. Il chercha quelque chose à jeter. S'entendit respirer, d'un souffle lourd et menaçant, comme le vezonnement des mouches. Il se laissa glisser à terre et s'assit sur place en tailleur. Et il ne bougea plus qu'une fois, pour s'écarter d'Orion, de dix pas, lentement, puis revenir, assez près afin d'être sûr d'avoir bien vu : la façon dont la tête avait été détachée du tronc ; la hache, les pinces, le fer rouge, etc. éparpillés autour du cadavre ; pêle-mêle un chapeau, une chemise, une lettre sans doute tombée d'une poche, tout par la place, comme si les hommes avaient pris la fuite avant même d'en avoir fini avec Orion.

Pardonne-lui, mon Père. J'ai tenté jusqu'à l'extrême limite de ma patience de restaurer son âme perdue. J'ai cherché sans relâche à l'amener jusqu'à l'Arche du Salut mais il avait suivi trop longtemps le chemin des ténèbres. C'était un affront à Ta Grâce. Une offense à Ta Parole. Aie pitié de lui et pardonne la conduite d'un païen comme tu pardonnes aux bêtes des champs et aux oiseaux des airs, qui n'ont pas d'âme.

Elle dit que le Maître est encore dans les cases. Elle dit que tout le monde a peur d'aller le chercher. Que tout le monde a peur d'ouvrir la porte de l'étable. Le contremaître est à moitié mort et Maîtresse pleure toujours calfeutrée dans sa chambre alors que l'étable commence à empester déjà avec ce fou de nègre-là que personne ne veut aller récupérer.

Et alors le garçon comprit que ses jambes bougeaient. Il comprit qu'elles le porteraient où il fallait qu'elles aillent et il savait que ces jambes étaient les siennes bien qu'il ne les sentît pas, resté trop longtemps assis à ne penser à rien, et la sueur courait sur son corps mais son esprit était ailleurs, en un lieu frais, tranquille et ferme, il comprit que rien ne pourrait combler la distance qui séparait son corps et son esprit, qu'on aurait encore plus vite fait de recoller la tête d'Orion. Aussi prit-il dans l'étable ce dont il avait besoin, puis il se déplia, remit en service ses longues pattes de grue, ouvrit d'un coup d'épaule la vieille porte à deux battants et traversa la flamme, au centre, où il lui fallait aller.

Damballah disait qu'un esprit avait devant lui un long chemin, le Jourdain était large et glacé et il fallait du temps à un nouveau venu avant d'apprendre à se servir de ses ailes. Oui, le chemin était long, et donc on pouvait rester assis à écouter, le temps que l'esprit soit prêt au voyage du grand retour. Le garçon essuya sur ses genoux ses mains mouillées, traça la croix, prononça le mot et s'installa pour écouter Orion raconter encore une fois les histoires. Orion parlait et lui, il écoutait, et il ne put s'arrêter d'écouter avant de voir les yeux d'Orion s'échapper de l'arrière du crâne tranché, les lèvres aussi s'en échapper et les ailes du spectre scander le rythme d'un seul et dernier mot.

C'était la fin de l'après-midi et la rivière dormait, sombre sur ses bords comme au matin. Il lança la tête le plus loin possible, il savait que les poissons entendraient et viendraient l'accueillir. Qu'ils avaient attendu. Et que les ondes, arrivées jusqu'à lui, le toucheraient quand il entrerait.

LE PÈRE POUBELLE

Quoi qu'il arrive,
Résiste au désarroi...

Le Père Poubelle était un chien. C'est Lemuel Strayhorn, dont la charrette à glaces est toujours au coin de Hamilton, juste après le carrefour de l'avenue de Homewood, qui avait donné ce nom au chien et, par conséquent, le chien lui appartenait. Et le Père Poubelle avait dû être d'accord parce qu'il restait assis sur le trottoir à côté de Lemuel Strayhorn ou dormait à l'ombre entre les deux roues de la charrette, ou bien, dès qu'il faisait trop froid pour des glaces, il suivait Strayhorn dans le dédale des petites rues où le conduit ce qu'il peut trouver l'hiver comme services à rendre ou comme combines pour faire bouillir la marmite ou fumer la cheminée de sa cabane derrière Dumferline. Le chien est mort depuis belle lurette mais Lemuel Strayhorn, lui, continue à vendre les gobelets de glace pilée nappée de sirop parfumé et le voilà qui s'esclaffe et dit :

« Ç't animal, vous parlez si je m'en rappelle. Pardi. Ouais, et c'est bien le nom que je lui avais donné, le Père Poubelle, mais pourquoi, ça je sais plus. Y avait bien dû y avoir une raison. Sûrement qu'à l'époque y en avait une bonne. Et vous, vous êtes une French, non ? L'une des filles au John French. Vous lui ressemblez comme deux gouttes d'eau, ma p'tite. Laquelle vous êtes ? Attendez voir. Y avait

Lizabeth l'aînée, puis Geraldine, puis une autre encore... »

Elle répond :

« Geraldine, Monsieur Strayhorn.

— Évidemment. C'est bien ça. Et vous avez amené tous ces jolis petits mignons pour des glaces.

— C'est toujours vous qui faites les meilleures.

— Naturellement. J'étais déjà à ce carrefour quand vous êtes née. J'ai connu votre papa dès son arrivée à Homewood.

— Lui c'est son petit-fils ; le premier-né de Lizabeth, John. Et ces deux garçons-là sont ses enfants à lui. Les filles sont à la fille de Lizabeth, Shirley.

— Vous avez de bien beaux garçons, et elles, elles sont mignonnes aussi. Je réentends John French, à se vanter de ses enfants. Dommage qu'il soye pas là aujourd'hui. Vous voulez tous des glaces ? Vous voulez des grandes ou des petites ?

— Des petites pour les gamins et moi aussi j'en veux une petite, s'il vous plaît, mais lui, il va prendre une grande, je le sais.

— Avancez, mes trésors, et dites-moi à quoi vous les voulez. Cerise, citron, raisin, orange et tutti-frutti. J'ai tout ici.

— Tu te souviens de M. Strayhorn. N'est-ce pas, John ?

— Mais oui. Je crois que je me rappelle aussi le Père Poubelle.

— Vous avez peut-être vu un chien dans le coin, fiston, mais c'était pas le Père Poubelle. Non, vous êtes bien trop jeune.

— M. Strayhorn avait le Père Poubelle quand moi j'étais petite. Un grand chien marron élancé. On aurait dit un loup. De quoi être à moitié morte de peur, sauf qu'on savait qu'il était domestiqué et qu'il n'embêtait jamais personne.

— Il embêtait jamais personne si personne l'embêtait. Mais une fois lancé, ça, il savait se battre. Quand le Père Poubelle passait, les chiens avaient fini par même plus aboyer. Il leur en a flanqué de ces roustées, vingt dieux.

— Vous ne vous souvenez plus d'où lui venait ce nom, c'est dommage.

— Non, malheureusement je peux plus vous dire. Mais y a longtemps de ça. Y a des choses que je m'en rappelle comme si c'était hier mais pour d'autres c'est comme si on parlait à un lampadaire. Crénom, mademoiselle French. J'ai l'impression que ça fait au moins quatre cents ans que je suis à ce carrefour à faire des glaces.

— Et toujours aussi jeune. Et je parie que vous vous rappelez encore ce que vous avez envie de vous rappeler. Vous m'avez l'air gaillard, Monsieur Strayhorn. Si ça se trouve, vous serez encore ici dans quatre cents ans et plus.

— Ma foi, peut-être bien. Oui, ma petite dame, si ça se trouve. Allez, mes enfants, mangez vos glaces et on en met pas sur ses beaux habits et Dieu vous bénisse tous.

— Je vous redemanderai un jour d'où venait ce nom.

— Hé, peut-être que je me souviendrai la prochaine fois. C'est ça, redemandez-moi donc.

— Je n'y manquerai pas... »

Il avait neigé toute la nuit et au matin Homewood paraissait plus petit. La blancheur adoucissait les contours, aplanissait les intervalles entre le proche et le lointain. Les arbres pendaient, le sol se trouvait rehaussé, la neige éblouissante dissuadait de regarder loin, rendait attentif à ce qui se trouvait tout près, à l'espace familier et néanmoins changé, comme harmonisé par toute cette blancheur. Oui, le monde paraissait plus petit, jusqu'à ce que l'on sorte et comprenne que ce vernis qui rendait la neige si brillante avait été gelé sur place par le vent, et soudain des rafales t'aspergeaient la figure de particules glaciales arrachées aux congères tandis que, arc-bouté, tu essayais de te rapprocher encore un peu de ta destination, de cet endroit qui, de la fenêtre où tu embrassais du regard le matin neuf et la neige vierge, t'avait semblé plus proche que d'habitude.

Le seul moyen d'escalader le passage à l'arrière de Dumferline, c'était de planter les pieds droit dans les amas de neige comme si ces vieilles chaussures usées et le bas du pantalon serré et glissé dans le haut des chaussettes suffisaient à protéger. Strayhorn regarda derrière lui les trous qu'il avait laissés. Il n'avait pourtant pas eu l'impression de zigzaguer autant. On aurait dit les traces d'un gars qui avait déjà ce matin tapé dans le gros rouge. La piste du chien serpentait encore plus que la sienne, tel un affluent capricieux repassant sans arrêt par sa source. Le chien ne semblait pas dérangé par la neige ou le froid, bête au point d'aimer ça on aurait dit parfois : il roulait sur le flanc, lançait les pattes, s'arrachait : d'un bond, en l'air, puis plouf ! un plat, les quatre pattes écartées, et des gerbes blanches qui jaillissaient de partout. Encore joueur comme un chiot malgré sa taille. Et certaines bêtes le restaient jusqu'au bout. Mais il savait qu'avec celle-là, ce roi des poubelles qu'il avait appelé le Père Poubelle, c'était moins des habitudes de chiot que de la folie pure, une folie à laquelle ni l'âge ni rien d'autre ne changerait jamais rien.

Strayhorn souleva le pied et, d'une tape, en dégagea la neige. En équilibre un instant sur une jambe, mais il ne voyait pas quoi faire de mieux avec son pied propre, alors il le replongea dans la neige. Ça servait à rien de les nettoyer. C'était parti pour être un sale jour, froid et tout, et puis voilà. De toute façon, bientôt, il ne sentirait plus ses pieds. Gourds, jusqu'à ce qu'il se les mette à dégeler devant un feu. Il repartit sur la croûte de neige et le crissement de son pied brisa un silence plus ancien que lui-même, que ce passage, que cette ville qui poussait sur ces buttes.

Quelqu'un avait coiffé une poubelle métallique d'un vieux couvercle en bois. Dressé sur ses pattes arrière, le Père Poubelle forçait, des pattes et de la truffe, contre ce chapeau enneigé. La parfaite symétrie de cette couronne de neige fut la première à céder, évidée, harcelée par le long museau du chien. Puis la poubelle, à son tour, tomba. Aussitôt le bâtard se vautra dessus de tout son long : il la chevauchait, la fuyait en même temps ; on aurait dit une otarie maladroite essayant de tenir sur un ballon. Rien là de nouveau, pour Strayhorn. L'habituel et honteux fracas de la chute fut assourdi par la neige mais les griffes du chien, elles, raclaient tout aussi bruyamment que sur n'importe quelle autre poubelle. Sur le fond neigeux, le contenu qui s'était répandu faisait propre et brillait. L'œil de Strayhorn fut attiré un instant mais l'homme n'avait pas l'intention de s'appesantir parce qu'il savait que les miséreux habitant ces cabanes à l'arrière de Dumferline ne jetaient rien qui puisse être autre chose que des ordures. Pas grand-chose à gratter, et, d'un grognement lancé par-dessus l'épaule, il fit comprendre au chien d'arrêter ses idioties et de le rattraper.

Quand il se retourna, vers ses traces solitaires, vers les tourbillons de neige soulevés par le vent, vers l'épais tapis de neige étalé entre les façades étroites et toutes semblables, vers la blancheur qui s'accrochait aux rebords de fenêtres, aux seuils des maisons, aux clôtures dépenaillées, vers la poubelle renversée et son contenu répandu dans la neige, il s'avisa que le chien avait ignoré l'appel : planté là, les pattes raides, il geignait près d'une boîte déversée avec le reste.

Il maudit l'animal et siffla pour l'éloigner de ces bêtises où il fourrait son nez. Des détritus de nègre ça vaut pas chipette, marmonna Strayhorn moitié au chien moitié à la misère et à la désolation des taudis déguisés, en cette matinée éclatante, par la neige fraîche. Qu'est-ce qu'il a à pigner et moi à retourner voir. Moi alors… parfois je me demande.

Redescendre le passage voulait dire qu'il avait le vent de face. Une bise coupante, en pleine figure, et de partout entre les maisons des courants d'air, féroces. Il allait lui arracher les yeux à ce cabot. Il allait lui apprendre à venir quand il l'appelait, tombé en arrêt ou pas devant un rat crevé ou un chat mort qu'on avait fourré dans une boîte.

« Le Père Poubelle, je vais te fracasser le crâne. »

Mais le chien se montra trop vif et la torgnole, au lieu de s'abattre sur la peau du cou, ne brassa que l'air frigorifié. Strayhorn essaya de donner un coup de pied dans la boîte. S'il n'avait pas cherché à gifler le chien et si la neige ne l'avait pas trompé, il l'aurait envoyée valser, ç'te boîte, mais son pied ne réussit qu'à la retourner.

Il crut d'abord qu'il s'agissait d'une poupée. Une petite poupée marron éjectée de la boîte. Une vieille, comme il en trouvait parfois au milieu des détritus des gens, trop démantibulée pour qu'on puisse encore jouer avec. Une petite poupée à peau brune, toute cabossée. Mais quand il regarda de plus près, recula, puis de nouveau se rapprocha, timidement, en geignant, les jambes raides comme le chien, il comprit que c'était un truc mort.

« Fi' d'garce, l' Père Poubelle ! »

Agenouillé maintenant, il entendait le chien haleter à côté de lui, voyait la chaude vapeur de son haleine fétide, sentait son poil mouillé. Le corps gisait le nez dans la neige, seules la tête et les épaules dépassaient du papier journal bourré dans la boîte. Plusieurs tapons de feuilles s'étaient envolés et le vent les chassait sur la couche de neige gelée.

L'enfant était morte et l'homme incapable d'y toucher, incapable de la laisser. Le Père Poubelle, avançant en crabe, s'était rapproché. Cette fois, aussi rapide que violent, le coup lui rabota le crâne. Le chien battit en retraite, faisant voler la neige, grondant, et ses mâchoires claquèrent, une fois, avant qu'il se mette à pleurnicher, à distance respectable. Sous sa capote militaire, Strayhorn portait le gilet de chasse en laine grise que John French lui avait donné après avoir gagné tout cet argent et s'en être acheté un neuf, en cuir, à pressions de cuivre. Il étendit son manteau sur l'autre poubelle, délaissée par le chien et restée debout, défit l'épingle qui fermait sur sa poitrine le gilet désormais sans boutons, qu'il étala sur la neige. Strayhorn était glacé, à l'intérieur. Devenu insensible au froid extérieur. Il avança d'un tout petit peu à chaque fois, à genoux, jusqu'à ce que son ombre atteigne la boîte. Il disait à ses mains ce qu'elles devaient faire mais ces bougresses n'obéissaient pas. Il maudit ses gants loqueteux, les doigts engourdis à l'intérieur qui refusaient de se plier aux ordres.

La boîte était trop grande, trop large d'épaules pour tenir enveloppée dans le gilet de laine. Alors qu'il dégageait le corps gelé, il ne voulait pas toucher autre chose que le papier journal, aussi quand il réussit enfin à le disposer au centre du vêtement dont il rabattit les bords gris effilochés, son petit paquet contenait pour moitié du papier, bruissant comme des feuilles mortes lorsqu'il vint à le serrer contre sa poitrine. Maintenant qu'il l'avait dans les bras, il ne pouvait plus le redéposer par terre et il se débattit donc avec son manteau comme un manchot, il tira, il remonta les épaules, jusqu'à en être de nouveau enveloppé. Pas vraiment enfilé, simplement endossé, en sorte qu'il traînait et flottait, vivait sa vie, et le Père Poubelle en était tout excité et trouvait là de quoi jouer tandis qu'à petits pas il suivait Strayhorn, lequel, rebroussant chemin, pressant la petite morte contre la chaleur de sa poitrine, gémissait, battait des paupières et larmoyait dans le vent qui lui cinglait la face.

Une heure plus tard Strayhorn était dans Cassina à crier le nom de John French. Lizabeth le chassa avec tout l'autoritarisme d'une petite fille qui avait entendu sa maman dire : « On ne veut pas de ce bonhomme ici. Dis-lui que ton père est parti travailler. »

Une fois la fillette disparue, et la porte claquée, Strayhorn songea à ces petits oiseaux de bois qui surgissent d'une horloge, chantent leur message, et puis s'en vont. Il savait que Freeda French ne l'aimait guère. Rien de personnel ni rien qu'elle ait pu changer, ni lui d'ailleurs ; c'était simplement chez lui ce qui contribuait a attirer John French au coin de la rue avec les autres hommes pour discuter, jouer, boire un coup. Il comprenait pourquoi il n'aurait jamais droit de la part de cette femme à autre chose qu'à un petit signe de tête en guise de salutation ou à *Bonjour, Monsieur Strayhorn* s'il insistait, d'un coup de chapeau, ou en monopolisant le trottoir quand elle le croisait et là elle ne pouvait plus faire comme s'il n'existait pas. *Monsieur Strayhorn,* à lui qui la connaissait, cette Freeda French, qui avant s'appelait Freeda Hollinger, depuis qu'elle était en âge de montrer sa frimousse dans les rues de Homewood. Mais il comprenait et ne s'en était pas formalisé, avant ce matin-là où il se tenait enfoncé jusqu'aux chevilles dans la neige refoulée contre les trois marches à l'arrière de chez John French à côté du terrain vague dans le Passage Cassina, oui jusqu'à cet instant-là où pour la première fois de sa vie il se disait que cette femme pourrait avoir quelque chose à lui donner, à lui dire. Étant mère, elle saurait quoi faire du bébé mort. Il pourrait se libérer du fardeau de ce secret et elle pourrait le toucher de ces mains fines de Blanche et, même si elle continuait à l'appeler *Monsieur Strayhorn,* il ne lui en voudrait pas. Une petite dame comme elle. Des petites mains comme ça, faisant ce que ses mains à lui ne savaient pas faire. Ses mains dures, habituées à fouiller les ordures, des mains qui avaient traîné partout, touché n'importe quoi. Dommage qu'elle n'ait pas ouvert la porte elle-même. Au lieu qu'il soit toujours planté là, muet et ignorant comme le chien qui, levant la patte arrière, jaunissait la neige sous la fenêtre d'un voisin d'en face.

« Y a ce type qui était censé passer me prendre ce matin aux aurores. Il veut que je lui tapisse tout son rez-de-chaussée. Sept-huit pièces sans compter les couloirs et les salles de bains. Une de ces vieilles baraques énormes sur le boulevard Thomas en face du parc. Et moi je prépare tout mon bataclan, je crapahute dans toute cette neige et, je te le donne en mille, ce salaud de blanco ne s'est même pas pointé. Strayhorn, ce matin, je suis de mauvais poil. »

Strayhorn avait trouvé John French au Baquet de Sang, installé devant un verre de rouge. Déjà onze heures et Strayhorn n'avait pas compté s'absenter aussi longtemps. Laisser la petiote toute seule dans cette espèce de frigo vide qu'était sa cabane ne valait guère mieux que de l'avoir fourrée dans une poubelle. Même à n'importe qui, et archimorte, malgré tout ce n'était pas qu'un truc mort maintenant qu'il l'avait trouvée, récupérée et allongée, enveloppée du gilet sur la pile de matelas où lui-même couchait. À cette heure la petite dormait là-bas. Elle attendait qu'on fasse ce qu'il fallait. On avait une dette à son égard : à Strayhorn de veiller à ce que celle-ci soit acquittée. Sauf qu'il ne pourrait pas tout seul. Non, tout seul il ne pourrait pas retraverser toute cette neige, pousser sa porte et faire ce qu'il fallait.

« Dès que je remets le grappin sur ce connard de blanco je serai plein aux as. Et je vais en profiter un peu dès aujourd'hui. C'est le jour idéal pour ça. Vu le sale temps qu'il fait dehors, froid et tout. Je pense pas que je vais m'éloigner beaucoup de ce tabouret d'ici l'heure d'aller se coucher. McKinley, sers-lui un coup. Et c'est pas la peine de rouler des yeux comme un taré. Je t'ai dit que je vais gagner plein de pognon dès que je m'attrape ç'te Blanc.

— Pour l'instant t'attrapes pas grand-chose.

— Et toi, négro, pour l'instant, tu sers pas grand-chose. Tu ferais mieux de t'amener par ici avec tes billes de loto et de nous remplir nos verres.

— Je te cherche depuis ce matin.

— Eh bien ça y est, tu m'as trouvé. Mais c'est pas de la thune que t'as trouvée, si c'est ça que tu cherches.

— Non. C'est pas ça. C'est autre chose.

— T'as encore un type aux trousses ? T'as peloté sa donzelle ? Si t'as encore chapardé ou qu'Oliver Edwards est encore sur ta piste...

— Non, non... rien de tout ça.

— Alors ça doit être la meute du Diable que t'as sur les talons parce que t'as l'air d'un cadavre ambulant.

— French, ce matin j'ai trouvé un bébé mort.

— Qu'est-ce que tu dis ?

— Chut. Crie pas. McKinley n'a pas besoin de savoir ni personne d'autre. Écoute ce que je te dis et inutile de rameuter tout le monde. J'ai trouvé un bébé. Enveloppé dans du papier journal et gelé raide comme un pain de glace. Quelqu'un l'avait mis dans une boîte et a balancé la boîte à la poubelle, derrière Dumferline.

— Personne a pu faire ça. Personne a fait une chose pareille.

— Nom de Dieu c'est pourtant vrai. Le Père Poubelle et moi on remontait la rue ce matin. Le chien, c'est lui qui l'a trouvée. Il a renversé une poubelle et la boîte a glissé. Et moins de deux, John French, j'y donnais un coup de pied. Oui, la pauvre petiote, moins de deux je l'envoyais valser.

— Et elle était morte quand tu l'as trouvée ?

— Tiens comme mon verre là.

— Et qu'est-ce t'as fait ?

— Je savais pas quoi faire, alors je l'ai ramenée chez moi.

— Gelée.

— Mise à la poubelle comme si c'était qu'un bout de viande pourrie.

— Putain.

— File-moi un coup de main, French.

— Putain de nom de Dieu. Mon pauvre, t'as morflé. Aucun doute là-dessus. Y a qu'à te regarder. *God bless America...* Dieu bénisse l'Amérique... McKinley... Apporte-nous une bouteille. T'as mes outils en gage alors file-nous une bouteille et écrase. »

Lizabeth chantait au bonhomme de neige qu'elle avait érigé sur le terrain vague à côté de chez elle. Le vent s'étant calmé, les gros flocons tombaient de nouveau à la verticale et elle interrompit sa chanson lente pour en capter sur sa langue. D'autres gamins, sortis avant elle, avaient gâté la parfaite blancheur du lieu. Ils avaient laissé un amas neigeux dont elle s'était servie pour son bonhomme. Peut-être ce monticule en avait-il été un avant le sien. Un très haut, plus grand qu'elle-même n'en pouvait faire, parce qu'elle avait entendu brailler, piailler de bonne heure déjà, autrement dit ils étaient toute une bande dehors sur place et ils avaient probablement travaillé tous ensemble à en construire un géant avant que quelqu'un explose, ou attaque, qu'il gifle le bonhomme et alors les autres de s'y mettre à leur tour, la neige volant de partout et voilà le bonhomme labouré, écrasé sous une bagarre générale et transformé lui-même en bataille de boules de neige. Bientôt il n'en restait rien et alors ils recommençaient. Elle voyait des sillons de terre nue là où ils avaient dû rouler de grosses boules pour en faire des têtes et des troncs. Sa mère avait dit : « Attends que certains de ces veurdons passent à autre chose. De toute manière il ne doit y avoir là-bas que des garçons. » Alors elle avait débarrassé la table, lavé l'assiette de son père et les traces d'œuf, puis, installée dans le fauteuil paternel, s'était mise à rêver de cette neige immaculée, parfaite, qu'elle ne verrait pas, elle le savait, à l'heure où elle obtiendrait enfin la permission de sortir ; à rêver aussi d'aller, juchée sur les épaules de Papa, jusqu'à la Butte Bruston : il la porterait, et la luge en même temps, jusqu'à un coin tranquille, pas trop haut sur la pente, et elle attendrait qu'il soit redescendu et, tapant dans ses mains, qu'il lui crie d'en bas : « Vas-y, lance-toi, cocotte ! »

« Si tu vas chez les flics à tous les coups ils trouveront une raison de te coffrer. À l'hôpital déjà qu'y a pas de place pour les malades, alors les morts… Quant au croquemort, avant d'y toucher, y va vouloir lui-même toucher quelque chose. L'église ? Là-bas ils savent déjà plus sur quoi pleurer et ils poseraient autant de questions que la police. Ça peut pas non plus rester ici et on peut pas le rapporter là-bas.

— C'est sûr et certain, John French. C'est ce que je t'ai dit. »

Entre eux la flamme de la lampe à pétrole frissonne comme si le froid avait pénétré jusqu'au cœur, où c'est bleu. Sans fenêtre, il fait toujours noir dans la cabane de Strayhorn sauf là où filtre un peu de jour par les fentes entre les planches, des fentes qui en ce moment gémissent, qui pressent le vent, en tirent des sifflements stridents. Les deux hommes sont assis sur des cageots aux lattes renforcées par des parpaings placés dessous. Un autre cageot, planté debout, porte la lampe à pétrole. Pardessus l'épaule de Strayhorn, John French fouille du regard le coin sombre où son ami a empilé des matelas en guise de lit.

« Faut l'enterrer. Faut sortir dans ce froid de canard l'enterrer. Et pas dans le jardin d'un voisin. Faut monter jusqu'au cimetière, où les autres nègres ils sont. »

À peine a-t-il fini de parler que John French s'avise qu'il ne sait pas si le cadavre est noir ou blanc. Vu qu'on est à Homewood, derrière Dumferline, ça ne pourra être qu'un bébé noir, a-t-il imaginé. En même temps, qui à Homewood l'aurait jeté là-bas ? Même ces péquenots venus du fin fond de leur Sud qui habitaient derrière Dumferline dans cette ruelle sans nom n'oseraient pas. Ni d'ailleurs personne de sa connaissance. Ni personne dont on lui a parlé. Sauf peut-être ces sales petits Blancs capables de faire n'importe quoi aux nègres, homme, femme, enfant, ils s'en foutent.

Le Père Poubelle qui ronfle et pète à chaque instant est couché près du feu éteint. Plus loin dans l'ombre épaisse gît l'enfant. John French se dit qu'il ira y jeter un œil. Se dit qu'il va se lever, traverser la carrée et ouvrir le gilet dans lequel Strayhorn a dit l'avoir enveloppée. Le sien. Son putain de gilet, servir à ça. Il se dit qu'il va prendre la lampe et passer là-bas au fond dans le coin noir, défaire le papier journal et placer la lumière au-dessus du corps. Mais après sûrement trop de pinard et une demi-bouteille de gin en plus 'l'est pas en mesure. De toute façon quelle importance ? Noir ou blanc. Garçon ou fille. Un bâtard fabriqué par un nègre de passage dans un lit de Blanche ou par un Blanc en vadrouille chez une Noire. Tout le monde sait que ça se produit toutes les nuits. À Homewood on en voit de toutes les couleurs de l'arc-en-ciel et les autres ils parlent des Blancs et des Noirs comme s'il y avait un mur entre eux, que personne sait passer par-dessus.

« T'y as regardé, Strayhorn ?

— Un petit bout de chou de rien. Pas besoin de rester cent cinquante ans à regarder pour savoir qu'elle était morte.

— Mais enfin comment quelqu'un a pu faire ça. Je sais que les temps sont durs et tout, mais comment qu'on peut être aussi cruel ?

— Ça pour être durs, les temps sont durs. Tous les jours je suis là à me bagarrer et je peux te dire que c'est duraille.

— Dur ou pas je m'en fiche. Y a des choses tout bêtement qu'on est pas censé faire. Si ton cabot tout d'un coup vient à crever, je sais que tu te débrouilleras pour le mettre en terre.

— C'est sûr. Ça beau être un crétin, un sans cœur, pas question de le balancer dans une poubelle.

— Voilà, c'est ça que je veux dire. Je sais pas ce qu'il leur arrive aux gens. Tu crois que les temps étaient pas durs au Sud... On se les caillait jamais autant qu'aujourd'hui mais ces salauds de petits Blancs ils pouvaient très vite te briser le cou, à force de t'écraser sous leurs bottes. Tiens, je me rappelle, mon Papa un jour est rentré un soir de Noël avec un demi-seau de tripes après avoir passé toute la sainte journée à tuer le cochon pour le Blanc. Un demi-seau de tripes ! alors qu'on était six gamins à nourrir, sans compter ma mère et ma grand-mère. Des crapules, ces petits Blancs, mais avec eux on en venait quand même pas à faire ce que font les gens d'ici à la ville. Là-bas on se connaissait. Et on connaissait ses ennemis. Maintenant dans ces rues c'en est au point qu'on peut plus se fier à âme qui vive. Blancs ou Noirs, c'est kif-kif. Homewood est plus pareil... les gens sont plus pareils.

— Moi j'ai rien. Et j'aurai jamais rien. Mais l'été je vis comme un roi et je trouve toujours un moyen de passer l'hiver. Quand j'ai besoin d'une femme je m'en dégotte une.

— T'es fêlé c'est sûr mais pas le genre salopard comme on voit maintenant. T'as ta charrette, ton clebs et ç'te cahute où dormir. Et tu vas pas t'en prendre aux autres pour en avoir plus. Tu comprends ce que je veux dire. Les gens sont prêts à tout pour en avoir plus que ce qu'ils ont.

— Depuis qu'ils sont sur terre on a toujours vu les nègres se bagarrer.

— Tout le monde en vient à se bagarrer. Moi-même je me suis battu avec la moitié des nègres de Homewood. Se bagarrer c'est autre chose. Tant que c'est deux types qui se mettent debout pour se taper dessus ça les regarde. Quand ils se bagarrent ça ne fait de mal à personne. Même si ça tue un négro par-ci par-là.

— John French, tu racontes des âneries.

— Si quand je parle d'âneries je raconte des âneries c'en est déjà plus, des âneries.

— Tu vois bien que tu racontes n'importe quoi. C'est le gin.

— C'est pas du tout le gin. C'est moi qui parle et ce que je raconte est véridique.

— Qu'est-ce qu'on va faire ?

— T'as une pelle dans le secteur ?

— J'en ai une qu'a le manche cassé.

— Va donc la chercher et allons faire ce qu'il faut.

— La nuit est pas encore tombée.

— Ici, depuis longtemps !

— Mais dehors pas encore. Attendons qu'il fasse noir. »

John French se baisse pour attraper la bouteille posée contre sa jambe. Un petit mouvement qui suffit à l'avertir de la difficulté qu'il aura à décoller du cageot. Il fait presque aussi froid à l'intérieur qu'à l'extérieur, c'est passé sous ses vêtements comme s'il était enrobé de glace et la raideur qu'il a toujours au creux des reins à force de se courber et de se tendre pour coller le papier peint est comme une petite boule qu'il va lui falloir, quand il se lèvera, étirer douloureusement centimètre par centimètre. Son poing se referme sur le goulot de la bouteille. Il la porte à ses lèvres, boit un grand coup, puis la passe à Strayhorn. Le gin lui brûle la gueule. Il le garde en bouche, s'anesthésie lèvres et gencives, inhale les vapeurs. L'espace d'un instant c'est comme si sa tête était un ballon que quelqu'un gonfle de gaz et bientôt soit le ballon explose, soit il se détache de ses épaules et monte.

« Fini. Y avait même plus de quoi se rincer la dalle. »

Strayhorn parle la bouche à moitié masquée par un bras. « Encore deux ou trois heures avant qu'il fasse vraiment noir. Je ne vais sûrement pas rester ici jusque-là. T'as donc pas de bois pour ton feu là ?

— Je le garde pour un autre jour.

— Alors on y va.

— Faut que je reste. Faut que quelqu'un soye là.

— Et moi j'en connais un à qui il faut encore une goutte.

— Non, je m'en vais plus.

— Eh bien reste. Je vais revenir. Merde, après tout c'est toi qui l'as trouvée, non ? »

Quand John French réussit à ouvrir la porte, la grisaille entre comme une main qui empoigne tout à l'intérieur de la cabane, secoue, étrangle, avant que la porte claque et tranche cette main grise, à hauteur du poignet.

C'est l'heure la plus chaude d'une journée de juillet. Le Père Poubelle s'est roulé en boule sous la grande charrette, à l'aise, royal, au seul endroit de la rue où il y ait de l'ombre à une heure de l'après-midi. De temps à autre sa queue telle une corde frappe le trottoir. Trop vieux la plupart du temps pour batifoler mais quand il dort c'est toujours le même petit chiot, se dit Strayhorn qui regarde la queue se dresser, puis d'un coup retomber, comme en mesure avec un pouls irrégulier mais opiniâtre battant sous les rues de Homewood.

« Monsieur Strayhorn. »

La jeune femme qui lui parle a le long visage clair de John French. Elle est grande et efflanquée comme lui et a ses beaux cheveux, lisses. Ou les beaux cheveux lisses qu'il avait avant. Ils lui tombent presque jusqu'aux épaules alors que ceux de John French ont disparu depuis longtemps, réduits à une étroite frange au-dessus des oreilles comme si on avait tracé une ligne grossière, avant de scier.

« Est-ce que vous avez vu mon Papa, Monsieur Strayhorn ?

— Il est passé hier, Mademoiselle French.

— Mais aujourd'hui, l'avez-vous vu aujourd'hui ?

— Euh...

— Monsieur Strayhorn, il faut qu'il rentre à la maison. On a besoin de lui à la maison tout de suite.

— Attends... je réfléchis...

— Est-il en train de jouer ? Sont-ils en train de jouer, là-haut près du chemin de fer ? Vous le savez, vous, s'ils sont là-bas.

— Il me semble l'avoir peut-être aperçu avec deux ou trois des autres...

— Mais enfin, Monsieur Strayhorn. Lizabeth est en train d'accoucher. Vous comprenez ? C'est en route et on a besoin de lui à la maison.

— T'en fais pas, fillette. Je parie qu'il est là-haut. Retourne chez toi. Le Père Poubelle et moi on va aller le chercher. Toi, vas-y, rentre. »

« Ma p'tite négrillonne, ma p'tite négrillonne. Gentille mignonne p'tite négrillonne à son Papa. »

Lizabeth entend le chanteur approcher. Oui, c'est lui. Lui tout craché. Elle pleure. Douleur et bonheur. On lui a amené le bébé pour qu'elle le voie. Un magnifique petit garçon. À présent Lizabeth se retrouve de nouveau seule. Elle est vidée, elle a mal. Ne se sent pas au bon endroit. Elle qui était énorme, la voilà qui se cherche dans la blancheur immense de ce lit. Seules les douleurs lui confirment qu'elle n'a pas complètement disparu. Tout est blanc parce qu'elle en voit de toutes les couleurs.

Elle est en nage et voudrait avoir un peigne même si elle sait qu'elle ne devrait pas s'asseoir dans le lit pour démêler ses cheveux. Ses longs cheveux lisses. Comme ceux de sa Maman. Ceux de son Papa. Tout embrouillés sur l'oreiller contre sa figure. Elle transpire, elle pleure et on a emmené son bébé. Elle guette des pas dans le couloir, des bruits en provenance des autres lits de la salle. Tous ces gros ventres, tous ces draps blancs, tous ces noms qu'elle oublie et trop timide n'ose pas redemander, et où a-t-on emporté son fils ? Pourquoi n'y a-t-il personne dans les parages pour lui dire ce qu'elle a besoin de savoir ? Elle écoute le silence, puis écoute, et là il y a lui qui chante. *Ma p'tite négrillonne. Gentille mignonne négrillonne.* Lui parviennent les accents ivres de son Papa qui chante. Et la voix d'une infirmière qui dit *non*, qui dit *vous n'avez pas le droit d'entrer là-bas* mais son Papa continue à chanter comme si de rien n'était et elle voit l'infirmière, tout de blanc vêtue, et son Papa qui, sans même jeter un regard à la femme, réussit à se faufiler, passe devant les autres lits fier comme un coq, il approche et chante, chante une chanson d'ignoramus, un de ces airs de moricaud qui la couvrent de honte et il chante ce mot affreux qui lui donne envie de se cacher sous les draps. Mais c'est lui, dans un instant il sera à côté d'elle et, sortant de sa chanson, il se penchera pour toucher ce front mouillé, sa main sera fraîche, il sentira le vin, doucereux, et déjà elle se chante toute seule le nom qu'elle lui a toujours donné et qu'elle lui donnera toujours : *Papa John, Papa John,* en cadence avec ce chant de négro qu'il a entonné à pleins poumons.

« Faut dire quelque chose. Toi t'aimes bien causer. Toi tu t'y connais avec les mots. »

Voilà plusieurs heures que John French et Lemuel Strayhorn sont à l'œuvre. Derrière eux, à leurs pieds, les rues de Homewood sont désertes, vides et silencieuses comme si les Noirs du Sud n'avaient pas encore entendu parler des usines, des mines et de la liberté, n'avaient pas entendu les rumeurs et les légendes ni fait leurs baluchons ni bourré leurs valises en carton de tout ce qu'ils pouvaient déménager avant de prendre le train du Nord. Vides et silencieuses comme si toute créature avait fui la tempête blanche, la neige qui ne s'arrêtera jamais, qui enterrera Dumferline, Tioga, Hamilton, Kelley, Cassina, Allequippa, toutes les rues de Homewood disparaissant sans bruit, très vite, comme les traces des deux hommes qui grimpent la Butte Bruston. John French en tête, qui s'appuie sur la pelle cassée comme si c'était une canne et en plante le fer dans la neige en sorte qu'il sonne sur la chaussée comme un tambour et scande leur avance. Strayhorn ensuite, chancelant, mal assuré parce qu'il tient à deux mains, bien contre lui, le petit paquet de laine et de papier journal tout en réfléchissant lorsque le vent le lui permet à ce qu'il dira si quelqu'un l'arrête et lui demande ce qu'il porte là. Vient enfin le chien, le Père Poubelle, qui trotte plus droit que d'habitude, sans dévier de son chemin, malgré le sifflement d'un chat, invisible, cependant que le cortège continue à monter vers le cimetière.

En dépit du vent, de la neige, du froid glacial, les hommes ont les joues en feu et cuisent dans leurs vêtements. À plus de deux ou trois mètres on ne les verrait pas creuser. Trop de neige en rafales, la nuit trop noire.

Mais à une rue de distance on les entendrait se battre avec la terre gelée, jurer, souffler, gémir, chacun maniant à son tour la pelle au manche écourté. Avant de s'y mettre ils ont décidé que le trou devait être profond, d'au moins deux mètres. Si, s'étant rapproché, on ne les avait pas lâchés des yeux, on aurait vu le trou atteindre finalement une profondeur telle que l'un des deux hommes y disparaissait avec la pelle pendant que l'autre, épuisé, attendait son tour assis dans la neige au bord de la fosse. On aurait vu la bouteille vert foncé, vidée, enfoncée dans la neige, à l'envers, comme une pierre tombale miniature. On aurait vu l'un becqueter le sol dur comme le roc pendant que l'autre, tournant autour d'un tas de neige et de terre toujours plus gros, soufflait sur ses doigts et tapait du pied, laissant des traces dont le désordre valait le slalom du Père Poubelle dans la neige vierge du cimetière…

« On a pas de dalle pour marquer l'endroit. On connaît pas non plus ton nom, petite. On sait pas qui t'a mise au monde. Mais peu importe à cette heure. Maintenant t'es là toi comme une grande. J'ai enterré mes deux jumelles ici même, en ce triste lieu. Je sais pas quoi dire à présent sauf qu'elles sont nées et qu'elles sont mortes trop vite, elles aussi. Mais on les a aimées. L'une, on a pas eu le temps de lui donner un nom qu'elle avait déjà disparu. L'autre s'est appelée Margaret, comme sa tante, ma petite sœur morte en bas âge elle aussi.

— Comme dit le prêtre : Que ton âme repose en paix. Dors en paix, petite. »

Strayhorn, le petit paquet dans les bras, reste là sans rien dire. John French bat des paupières pour chasser de ses cils les lourds flocons. Il entend Strayhorn grogner *amen* puis Strayhorn oscille comme une silhouette immergée. Les contours de son corps bougent, se dissolvent, les traits saillants enflent et se divisent.

« Comment on va faire pour la mettre au fond ? On peut pas la jeter, c'est trop dur par terre. »

John French tire de la poche de sa veste le grand mouchoir rouge en tissu écossais. C'est seulement maintenant qu'il y pense. Il s'essuie les yeux et se mouche. Il regarde le ciel. Les flocons semblent tous tomber, obliques, d'un seul point là-haut au-dessus de sa tête. S'il pouvait y mettre le pouce ou y enfoncer le mouchoir, il pourrait arrêter ça. Le ciel se dégagerait, ils pourraient voir les étoiles.

Il s'agenouille au bord du trou et pousse la neige fraîche dans le vide noir. Il en pousse jusqu'à temps que le fond de la fosse se double d'une douce fourrure, qui luit.

« On peut guère faire mieux. Vas-y, lâche-la, doucement. Penche-toi le plus loin possible et lâche-la doucement… »

LIZABETH :
L'HISTOIRE DE LA CHENILLE

Savais-tu qu'un jour j'ai essayé de le sauver. À l'époque où quelqu'un dépotait des cendres sur le terrain vague à côté de chez nous Passage Cassina. Tu te rappelles, Papa était furieux. Assis en bas dans le noir avec son fusil de chasse, il jurait de tirer sur l'abruti qui dépotait des cendres sur son terrain. Voilà de quoi moi j'ai essayé de sauver Papa.

C'est drôle d'être assise là à t'écouter parler ainsi de ton père parce que je n'avais jamais songé qu'il était besoin de quelqu'un d'autre que moi pour le sauver. Et puis je t'entends parler, je pense à John French et je sais qu'il n'aurait jamais pu rester aussi longtemps en vie s'il n'y avait pas eu tout un tas de gens à se démener pour le sauver de sa folie. Il avait besoin d'au moins autant de gens à essayer de le sauver qu'il y en avait à essayer de le tuer.

Je sais depuis toujours ce que tu as fait, Maman. Que tu as donné un coup de poing dans une fenêtre, à main nue, pour le sauver. Tu m'as montré la cicatrice et tu m'as montré la fenêtre. Là où on habitait avant, Passage Cassina. Et donc j'ai toujours su que tu lui avais sauvé la vie. C'est peut-être pour cela que je pensais pouvoir le sauver à mon tour.

Je me revois te raconter l'histoire.

Et me montrer la cicatrice.

La cicatrice, ça je l'ai. Et toi, tu as l'histoire.

Je croyais moi aussi sauver Papa mais si tu n'avais pas passé le poing ce jour-là par la vitre, je n'aurais pas eu de Papa à essayer de sauver.

Je t'avais sur mes genoux, on était assises à la fenêtre dans la maison de Cassina. Tu devais avoir cinq ou six ans à l'époque. Assez grande déjà pour qu'on te raconte des histoires. Évidemment quand j'avais un de vous autres sur les genoux, des fois je parlais simplement pour m'entendre parler. Il y avait des choses qui ne pouvaient pas attendre, même si vous étiez encore trop petits pour y comprendre quoi que ce soit. Mais là, tu avais cinq ou six ans et j'étais en train de te raconter la fois où ton père avait mangé une chenille.

Celle que je moi, j'avais mangé d'abord.

Celle-là même dont tu avais grignoté un petit bout.

Et lui après, il a mangé le reste.

Le reste, comme tu dis : pattes, poils, duvet, rayures orange et jaunes, toute la sainte cochonnerie.

Parce qu'il pensait que j'allais peut-être en mourir.

Comme si voir ma bichette morte n'aurait pas suffi. Non non. Monsieur a avalé tout le reste de cette saloperie, comme ça si tu mourais, il en ferait autant et moi, je me retrouverais avec vous deux disparus.

Un sauveur, lui aussi.

Il avait une drôle de façon de le montrer, mais je suppose qu'on peut dire ça. Oui, je crois qu'on peut le dire. C'est sûr, quand je regarde et que je vous vois tous adultes aujourd'hui et moi bientôt vieille comme Mathusalem.

Dix-neuf ans de plus que moi seulement.

Ça suffit bien.

Je me souviens du jour où tu m'as raconté l'histoire de la chenille et je me souviens ensuite de l'homme qui voulait tirer sur Papa et là je me souviens aussi du revolver d'Albert Wilkes que tu as déniché de sous le frigo.

Toi, tu te souviens de tout ça. Tu n'étais qu'un petit bout de chou, encore sur les genoux quand on a connu tout ce tintouin dans Cassina.

J'avais cinq ou six ans.

Oui, c'est bien ça. Forcément. Vu qu'on habitait déjà Cassina depuis deux trois ans. Un vrai chenil que c'était, le Passage Cassina, à l'époque. Pas une cahute qui n'était bourrée de nègres. Fallait voir. Ils laissaient leurs marmots traîner dans la rue à moitié nus et jamais de peignes pour ces tignasses. Ils lâchaient les gosses le matin et les appelaient pour qu'ils rentrent le soir, comme si c'étaient des biques ou autre. Tu avais déjà cinq ou six ans mais je te prenais souvent sur mes genoux. Pas envie que tu grandisses trop vite. Pas envie du tout, jamais. Avec vous tous mes enfants, j'ai tâché de faire en sorte que vous grandissiez le plus lentement possible. Pourquoi vous dépêcher ? Où est-ce que vous alliez ? Je n'étais pas pressée de vous faire descendre de sur mes genoux et de vous poser par terre dans ces rues de malheur.

Je me rappelle. Je suis sûre que je me rappelle. L'homme, un maigrichon, est arrivé dans le passage en courant après Papa. Il avait un gros pistolet exactement comme Albert Wilkes. Et toi qui as enfoncé le poing dans la vitre pour avertir Papa. Si je ferme les yeux, j'entends le verre tomber et j'entends les coups de feu.

Je ne savais pas que John French pouvait courir aussi vite. J'ai cru un instant que l'une des balles l'avait abattu mais il est allé plus vite qu'elles. Obligé, sinon ce n'est pas cette histoire-ci qu'à cette heure je raconterais.

Ça se mélange un peu dans ma tête mais oui, je me rappelle. Plus tard tu m'as raconté l'histoire et tu m'as montré ta cicatrice mais j'étais présente et je me rappelle moi aussi.

Bien sûr que tu étais présente. On était toutes les deux assises à la fenêtre sur la rue, à regarder dehors, où il n'y avait rien à voir. Dehors, où c'était calme parce que dans Cassina ça ne l'était jamais, sauf tôt le matin et puis de nouveau le soir quand c'est le moment de préparer à manger. À l'heure où les hommes rentrent à la maison et où les enfants ne traînent plus dans la rue, pour la première fois depuis l'aube c'est calme. La première fois qu'on n'entend plus rien, la première fois de la journée qu'on s'entend penser, et donc on était là toutes les deux à la fenêtre sur la rue, je m'étais à moitié assoupie et c'est à peine si je me rappelais encore t'avoir sur mes genoux. Même si tu commençais à être un peu volumineuse. Déjà cinq six ans mais je n'étais pas pressée de te faire descendre de là et donc on était là toutes les deux. C'est sûr que tu étais présente mais je ne faisais pas attention à toi. Je regardais simplement les maisons d'en face et fixais mon reflet dans la vitre, je me demandais où était passé John French et aussi combien de temps on aurait encore la paix avant que ta sœur Geraldine se réveille et commence son potin, je me demandais qui était cette femme ayant un bébé sur les genoux et en train de me dévisager elle aussi.

Et tu as raconté l'histoire de la chenille.

Oui, probablement. Si c'est ce que tu te rappelles, ça doit être vrai. J'aimais la raconter quand c'était tranquille. L'histoire perd beaucoup de son charme s'il y a du boucan autour. Ce n'est pas le genre qu'on raconte à une soirée où tout le monde picole et baratine. Installée à la fenêtre avec toi dans la paix retrouvée d'une fin d'après-midi, là oui, je pouvais la raconter tranquillement et si je l'ai fait, c'est sans doute pour me réveiller.

John French tient Lizabeth au creux de son bras, contre sa poitrine. Elle marmonne, gazouille ou s'apprête à vomir.

« Qu'est-ce qu'elle a mangé ? Tu dis qu'elle a bouffé quoi ? Je croyais que tu étais censée la surveiller.

— Ce n'est pas la peine de me crier dessus. Si en plus tu lui fais peur…

— Donne-moi ça. »

Sa femme desserre le poing et lâche dans la main qu'il lui tend ce qui reste de la chenille. Un rond duveteux rayé d'orange et de jaune, mort ou vivant, que John French regarde comme si c'était une éruption cutanée apparue soudain dans sa paume, qu'il fixe comme il le fait avec les grossières pyramides de cendres venues profaner son futur potager. Il écarte les doigts de l'autre main, celle qui soutient le dos de la petite : car souvent, elle qui ne bougeait pas, là voilà d'un seul coup à gigoter de partout. Il évalue la longueur de la chenille enroulée dans sa main, la renifle, en caresse du majeur la fourrure, paraît l'écouter ou lui parler tandis qu'il la promène devant son nez. Il bouge la chique de tabac dans sa bouche, crache, et le jus grésille sur la chaussée.

« Tu es certaine que j'ai là le plus gros de l'animal ? Tu es certaine qu'elle n'en a mangé qu'un petit bout ? »

Freeda French continue à faire oui de la tête, pas parce qu'elle connaît la réponse mais parce que toute autre réalité serait impensable. Comment pourrait-elle laisser la fille de cet homme mâcher plus qu'un petit bout de chenille. Freeda pleure en son for intérieur. Des larmes viennent glacer ses yeux, brillantes et épaisses comme le glaçage sur les gâteaux de sa tante Aida, et c'est plus de larmes qu'elle n'en peut retenir, sous leur poids ça va se craqueler et de grosses gouttes réussiront à glisser le long de ses joues. Pendant qu'elle continue à faire oui, à bouger prudemment la tête pour éviter le débordement des larmes, qu'elle sait imminent de toute façon, son mari crache une deuxième fois et ingurgite la bouclette bariolée qu'est la chenille.

« Donc c'est moi qui en ai eu le plus gros et si je ne meurs pas, elle non plus elle ne va pas mourir, alors arrête de pleurnicher. »

Il mâche deux ou trois coups et ses yeux sont totalement inexpressifs pendant que la langue fouille les dents pour tout déloger, tout avaler…

Quelqu'un déversait des cendres depuis un certain temps sur le terrain vague au bout du Passage Cassina. Vide, ce terrain faisait partie du quartier depuis toujours et personne n'en avait jamais revendiqué la propriété, jusqu'au jour où John French avait installé sa famille dans la partie arrière de l'étroite maison contiguë au terrain, et encore n'avait-il jeté son dévolu que sur une parcelle jouxtant le dernier mur de la rangée de maisons, parcelle où il comptait planter tomates, poivrons, haricots, mais il n'était jamais passé à l'acte, sauf pour dire que ce serait bien le diable s'il n'arrivait pas à y faire pousser quelque chose, même s'il y avait plus de caillasse et de racines que de terre, parce que là-bas au pays, à Culpepper en Virginie où la terre était si bonne qu'on pouvait presque en manger à pleines poignées directement sur place, oui là-bas il avait appris le jardinage et il allait créer un potager sur ce terrain le moment venu et, une fois arrangé, son jardin serait presque aussi beau que celui qu'il avait tant aimé écouter quand il était petit, assis sur le perron à l'arrière de chez lui, les pieds posés sur une chaise et personne pour qui s'enquiquiner, du bout de ses orteils à la crête bleue des monts Blue Ridge flottant à l'horizon.

Un ou deux matins par semaine des cendres apparaissaient en tas gris, grossiers. La forme des monticules révélait à John French qu'on les avait déversés d'une brouette ; que quelqu'un poussait une brouette en catimini dans le noir jusqu'au bout des pavés de Cassina pendant que les gens dormaient et voilà son rêve de potager étouffé sous des monceaux de cendre en vrac. Un après-midi où Lizabeth était rentrée à la maison en larmes, les cheveux pleins de cendre, des cheveux que sa mère venait de pommader et de tresser le matin même, John French décida de mettre un terme au scandale. Et il le dit à sa femme Freeda, cependant que Lizabeth continuait à pleurer, et quand elle brailla plus fort, il haussa le ton. Bientôt il envoyait se faire foutre cet enculé et tous ces ancêtres et se jura de lui trouer la peau, avant que Freeda, hurlant pour se faire entendre malgré les braillements de Lizabeth et les abominations de John French, lui dise qu'on ne tenait pas ce genre de langage devant les enfants ni jamais personne nulle part si ce n'est au Baquet de Sang parmi sa bande d'ivrognes mal embouchés toujours à traîner là-bas à se soûler à la bière et au vin, et à sacrer comme des charretiers.

Lizabeth en resta plusieurs semaines sans fermer l'œil. Couchée là-haut au bord du sommeil dans la pièce minuscule qu'elle partageait avec sa sœur qui ronflait, elle avait peur comme un enfant a peur à l'heure du bain de toucher du pied une eau peut-être trop chaude, sauf qu'elle, elle resta figée dans cette hésitation non pas une fraction de seconde mais des semaines, cependant qu'elle apprenait tout ce qu'elle pouvait apprendre des bruits nocturnes du Passage, puis demeurait éveillée pour apprendre qu'il n'y avait rien d'autre à apprendre, que le seul moyen d'apprendre serait de voir le cauchemar se produire, qu'après les râles prévisibles et les cris de la ruelle, les pavés s'endormaient pour la nuit, et elle n'avait toujours pas glané le moindre indice quant à ce qu'elle avait besoin de savoir : comment reconnaître le bruit d'une brouette et trouver en elle le souffle suffisant pour crier, en traître et sans peur, de façon à avertir le pousseur de brouette que son père John French, armé d'un fusil de chasse à deux coups plus grand qu'elle ne l'était elle-même, se tenait assis dans la pièce du rez-de-chaussée qui donnait sur la rue, en embuscade.

Avant même d'avoir entendu son Papa se promettre de dégommer quiconque dépotait toute cette cendre, elle avait guetté dans la nuit l'heure où il rentrait. Il farfouillait quelques minutes dans la cuisine, puis elle guettait le craquement d'une allumette et comptait les pas lourds de son père, jusqu'au palier : à *douze* il était presque arrivé, la bougie projetait sur le mur sa lueur titubante, puis son père passait d'abord par la chambre des filles, et bien qu'elle tînt ses yeux fermés comme des noix, elle sentait le regard paternel tandis que la chaleur de la bougie se baissait, s'approchait, elle sentait son père compter ses filles comme elle-même avait compté les marches, passé voir ses filles avant d'entreprendre, rassuré, la traversée du palier, d'une seule enjambée, jusqu'à l'autre bord du gouffre de la cage d'escalier, vers la chambre à gauche où leur mère dormait. Une fois de temps en temps il faisait la fête tout seul en bas et chantait, se balançant sur une chaise branlante et jouant du pied la basse mélodique sur le lino de la cuisine, il chantait : *Froggy went a courtin and he did ride, uh huh, uh huh/Grenouillet alla voir sa belle, au galop, au galop, oh oui oh oui.* Ou les chansons qui provenaient, elle le savait, du Baquet de Sang. Sa voix rauque se cassait sur les notes aiguës et il riait à moitié, avalait à moitié les mots de ces chansons qui ne se chantaient pas, jamais, nulle part, si ce n'est au Baquet de Sang.

Le plus souvent il était heureux mais même si elle entendait la porte du frigo claquer à en faire sauter la serrure, entendait la chaise de cuisine se renverser et tomber par terre, entendait les marches gémir comme s'il essayait d'en défoncer les planches à chaque coup de talon, comme s'il essayait à chaque pas d'écraser la bosse d'un cafard à carapace d'acier, oui, même quand elle entendait tout cela, elle savait que les pieds se calmeraient lorsqu'elle aurait presque fini de compter ; que, quel que soit le temps s'écoulant d'un pas à l'autre — qu'elle entendît son père ronfler ou glisser à l'horizontale sur une marche comme s'il avait oublié *en haut* et choisissait d'essayer *de côté* —, il finirait quand même par atteindre le palier, et la lueur chancelante de la bougie que leur mère disposait toujours pour lui sur une soucoupe près de l'entrée viendrait se pencher au-dessus du lit avant de mourir au moment où la porte des parents *boum* se fermerait au bout du palier.

Alors Lizabeth pouvait respirer, après avoir en comptant dans sa tête accompagné son Papa jusqu'à son lit, après ce raclement de porte de l'autre côté du palier et ce *boum* final annonçant que tout le monde désormais était en sécurité. Mais depuis des semaines elle restait éveillée longtemps après que la maison eut retrouvé le silence, guettant le bruit inconnu de la brouette sur les pavés, le bruit qu'elle devait apprendre, celui dont elle devait sauver son Papa.

« C'est sûrement Walter Johnson avec ses cannes de cowboy, car je ne vois pas qui d'autre nettoierait les cheminées dans le coin. Mais laissons-lui le bénéfice du doute. Tout le monde y a droit et je ne vais donc pas l'accuser direct. Ce que je vais faire, c'est farcir de gros plomb le cul du premier négro que je pince à dépoter de la cendre au bout de Cassina. »

Elle savait que son père tirerait. Elle avait entendu parler d'Albert Wilkes et donc elle savait que quand on tirait il y avait des hommes qui tombaient morts et d'autres qui prenaient la fuite et jamais ne revenaient. Pas question de laisser se produire une chose pareille. Cent fois par nuit elle imaginait le bruit terrible d'un coup de fusil. S'il lui arrivait de fermer l'œil, elle ne se rappelait pas, ou ne pouvait s'avouer une défaillance, car alors les heures de veille perdraient toute signification. Sa vigilance devait être sans faille. Si elle voulait sauver son père de sa propre folie, du sourd fracas de cette carriole et de la face gris cendre de l'intrus qui allait mourir et emporter son Papa avec lui dans la nuit, il fallait qu'elle tienne, qu'elle écoute, qu'elle apprenne l'obscurité mieux que celle-ci ne se connaissait elle-même.

« Papa. » Elle est assise sur ses genoux. Ses yeux escaladent peu à peu la poitrine de son père, un par un elle gravit les boutons noirs de la chemise de flanelle, jusqu'à ce qu'elle les ait tous comptés et qu'elle atteigne le col grisâtre du caleçon long. Dont le seul bouton de nacre, fendillé, brille sous le menton mal rasé.

« Papa. Je veux rester dans ton chapeau.

— De quoi tu parles, ma puce ?

— Je veux habiter ton chapeau. Ton grand chapeau marron. Je veux y habiter tout le temps.

— Bien sûr. Pas de problème. On va te fabriquer une table et des chaises, on attrapera aussi un petit écureuil, qui habitera là avec toi. C'est une bonne idée, non ? Et tu seras sous le chapeau de ton Papa, jusqu'à ce que tu sois trop grande pour y rester. Jusqu'à ce que tu deviennes une belle grande fille. »

Lizabeth quitta des yeux la longue mâchoire, la bosse au milieu de la joue due au mouvement de la langue. Son père transbordait sa chique de Cinq Frères d'une joue à l'autre, l'imbibait de jus, et ce qu'elle vit du visage en dernier avant que ses yeux glissent vers le pot de cuivre posé près du fauteuil, ce fut le travail des mâchoires moulant la chique, qui sortit rouge sang et grésillante lorsqu'il cracha.

Lizabeth était déjà assez grande pour aider sa mère et passer des heures à côté d'elle à la cuisine, où l'ouvrage ne manquait jamais. Mais elle en passait autant sur les trois marches que son Papa avait construites, entre la porte d'entrée elle-même un peu de guingois et les pavés du Passage Cassina. Le mieux, c'était l'été : elle pouvait rester assise là à s'abêtir comme une mouche en plein soleil une fois que celui-ci avait dépassé la crête des maisons d'en face. Si on se levait avant tout le monde, les matins d'été étaient tranquilles dans Cassina, rien ne bougeait, avant que le calme soit rompu par les cris du rémouleur, son trousseau de clés tintinnabulantes accroché à la taille et, en bandoulière, dans le dos, la meule à silex qu'il posait sur son trépied et actionnait à la manivelle, et les étincelles jaillissaient si on avait une lame émoussée à lui donner à aiguiser — ou brisé par le marchand de glace toujours le premier à passer, derrière le *clomp clomp* fatigué des sabots de son cheval sonnant sur les pavés. Sa charrette était couverte d'une toile grise qui fonçait, tel un bandage sur une blessure imbibé de la glace en train de fondre. *C'est l'marchand d'glace. Qui veut d'la glace ?* L'homme n'articulait pas et Lizabeth qui n'avait jamais bien compris les paroles demanda un jour à sa mère.

« Il crie *Qui veut d'la glace ?*, du moins c'est ce que lui s'imagine. C'est du moins ce que je m'imagine qu'il s'imagine », lui répondit-elle figée sur place, l'oreille tendue, pour vérifier. Pendant des années le marchand de glace avait été Fred Willis et il était toujours propriétaire du cheval qui dormait, disait-on, dans la même chambre que lui, mais à présent c'était un inconnu, un grognon — dont Lizabeth ignorait le nom et qui portait un long tablier de caoutchouc couleur de toile mouillée — qu'elle entendait guider le cheval le long de la ruelle et marmonner *C'est l'marchand d'glace. Qui veut d'la glace ?* ou on ne sait quoi… bref, ce qu'elle entendait à la première heure derrière le sourd *clomp clomp* des sabots.

Bête comme une mouche. Elle avait découvert l'expression dans la bouche de son Papa et cela convenait parfaitement à ce qu'elle ressentait, étourdie de soleil, à en oublier les rougeurs sur sa nuque qui la démangeait, et les cris des vendeurs qui au bout d'un moment se fondaient à leur tour dans le silence.

Bête comme une mouche aussi durant ces nuits blanches où elle n'arrivait pas à apprendre ce qu'elle avait besoin de savoir mais où par contre elle avait réussi à comprendre la façon dont elle pouvait se scinder en deux parties, dont l'une guettait le bruit de la brouette et dont l'autre s'observait en train de guetter. L'une avait un Papa et l'adorait plus que tout mais l'autre le voyait mort, ou mourant, ou en fuite pour toujours, voyait Lizabeth seule et désespérée, la voyait éveillée toute la nuit dans son lit assez sotte pour penser qu'elle pourrait sauver son Papa. L'observatrice en elle, mûrie par les épreuves et plus peste qu'elle-même savait jamais pouvoir l'être. Une présence inquiétante qui bizarrement produisait parfois en elle une paix des plus profondes parce qu'elle-même n'était plus que cela et rien d'autre lorsqu'elle était assise abrutie de soleil, bête comme une mouche, sur les marches côté ruelle.

Des bracelets de mousse grise encerlaient les poignets de sa mère lorsqu'elle tira de l'évier une tasse en porcelaine, la rinça sous une giclée d'eau froide et la mit à sécher, toute luisante, sur l'égouttoir. La même mousse qui s'accrochait aux bras de sa mère débordait de l'évier et masquait la vaisselle empilée par-dessous. Chaque fois que les mains fines disparaissaient dans l'eau, le fracas faisait craindre le pire mais sa mère avait des yeux au bout des doigts, ils triaient en premier le plus fragile, et dans tout cet amoncellement de vaisselle, repêchaient exactement ce qu'ils cherchaient. Si c'était Lizabeth qui plongeait les mains dans cette eau savonneuse, tout commencerait à chanceler, à glisser, verre cassé et assiettes ébréchées mordilleraient ses doigts de maladroite. Les gros morceaux qu'on lui passait, elle les mettait à sécher ou les rangeait en automate, sans jamais quitter des yeux les gestes de sa mère à l'évier, vifs, efficaces.

« Lizabeth, sors vite, c'est le marchand de glace. Dis-lui cinq livres. »

Et Lizabeth criait : *Cinq liv'es, on en veut cinq liv'es.* Elle aurait dû savoir, sa mère lui avait dit cent fois : *livres* et non pas *liv'es* comme *cives* ou *rives,* mais son Papa disait *y a pour deux liv'es de pieds de cochon* ou *j'en ai acheté une demi-liv'e* et donc quand la charrette se trouvait déjà à hauteur des dernières maisons et que l'écho des sabots, celui du blues qu'était devenu l'appel du marchand de glace, s'estompait dans l'étroit entonnoir du Passage, elle criait de toutes ses forces : *Cinq liv'es, cinq liv'es, M'sieur.*

Le cheval renâcla. Elle avait pensé qu'il serait content de s'arrêter mais non, il avait l'air furieux. Les yeux du conducteur passèrent, de la petite fille assise sur les marches, au coin de la fenêtre, resté vide, où il aurait dû y avoir un écriteau si quelqu'un dans cette maison voulait de la glace. Et quand ils revinrent se poser sur elle, ils disaient : Si tu me fais marcher, toi, tu vas voir, et avec un grognement fort semblable au reniflement du cheval, d'une virevolte, l'homme mit pied à terre, souleva de la glace un bord de la toile et attrapa entre ses tenailles rouillées un gros morceau de cinq livres. Le pain de glace frémit lorsque les crocs de fer en percèrent les flancs. Quand le marchand passa près d'elle sur les marches, Lizabeth aperçut des couches de cristal en mille éclats, le cœur trouble de la glace. Sous le tablier de caoutchouc à grand bavoir, la peau de l'homme était noire et luisante. Il cria *L'marchand d'glace* un seul coup et poussa la porte.

Si elle avait un cheval, elle le mettrait sur le terrain vague d'à côté. Il n'aurait jamais l'air nerveux et maladif comme celui-ci. Le pauvre avait des taches pelées sur sa robe, des plaies comme à vif qui ressemblaient à la tête des teigneux. Ceux dont la mère couvrait d'un bas le crâne rasé afin qu'ils puissent venir à l'école et il ne fallait pas les toucher parce qu'on risquait alors d'attraper la maladie mais Lizabeth allait jusqu'à éviter de partager une salle avec eux. Rien que de penser à la sombre dégoûtation voilée sous ces bas, elle commençait à se gratter, même si sa mère lavait, pommadait, tressait son épaisse chevelure cinq fois par semaine.

Elle attendit pour rentrer que la charrette et ses grincements aient dépassé le terrain vague. Si son poney à elle, pis et non pas gris, avait été là sur le terrain à côté à grignoter l'herbe verte que son Papa y ferait pousser, il aurait salué d'un hennissement le triste cheval de la charrette à glace. Elle se demanda quel âge il pouvait avoir, pourquoi il passait toujours la tête baissée, l'énorme croupe se balançant lentement comme les têtes des paroissiennes à l'église de Homewood en train de fredonner un cantique.

« Faut-il être bête pour faire dégouliner de l'eau partout comme ça. Il y en a qui n'ont vraiment pas volé le Saint-Esprit. » Sa mère à quatre pattes essuyait le lino décoloré à l'aide d'une serpillière. « Tiens, toi, prends ça, le temps que je sorte le bac. » Elle tendit le bras derrière elle, sans tourner la tête. « Le bac a encore débordé et l'autre en plus qui me flanque de l'eau partout. » Elle était agenouillée et la robe de coton remontait à l'arrière de ses cuisses découvertes. Le postérieur maternel pointait en l'air : rond, fendu comme il l'était, il lui rappelait les énormes fesses du cheval, et du coup, l'étroitesse de ses hanches d'enfant. Sa maman tira le bac à eau, plein à ras bord, de sous le frigo, et le glissa sur le côté sans faire tomber une goutte. « Donne » : elle avait le bras tendu de nouveau derrière elle, les doigts prêts à se refermer sur la boule de la serpillière. Elle dut se répéter : *Donne, je t'ai dit,* avant que Lizabeth détache les yeux des noires scarifications du lino et pousse entre les doigts de sa mère la serpillière qu'elle avait essorée.

« Je ne sais pas pourquoi je continue à me décarcasser pendant que toi tu restes plantée là à regarder. La prochaine fois... »

Sa mère s'arrêta net. En appui sur un coude, elle avait passé l'autre bras sous le frigo pour éponger comme d'habitude le peu d'eau que le bac, inévitablement, n'avait pas recueilli. Et la voilà bientôt la tête encore plus bas, une joue presque à toucher le sol, afin de voir jusque sous l'appareil. Quand brusquement sa main s'arracha à l'obscurité, elle agrippait un objet bleu nuit, en métal.

« Jésus Marie Joseph. »

Elle tenait cela comme elle tenait le piège où s'était pris un rat et, l'espace d'un instant, Lizabeth crut qu'il devait sûrement s'agir de cela : un nouveau piège à rat, en acier. Sa maman disposait ceux en bois dans les coins sombres partout dans la maison mais quand l'un de ces pièges attrapait quelque chose sa mère n'y touchait surtout pas, elle essayait à coups de balai d'expédier tout ça dehors, à la fois le piège et le cadavre de rat coincé dedans, laissant à John French le soin de libérer le ressort et de faire tomber dans la poubelle le rongeur mort afin que le piège puisse resservir. S'il fallait absolument qu'elle touche à une ratière, elle la tenait au bout de deux doigts, comme avec des pincettes, le plus loin d'elle possible, sans regarder, avant de la lâcher à un endroit d'où il serait facile de l'éjecter, d'un coup de balai, par la porte. Mais cette fois l'objet était plus lourd qu'un piège à rat et sa maman n'avait pas les yeux à moitié fermés ni la bouche tordue comme quand on avale de l'huile de foie de morue. Au contraire, elle ouvrait des yeux ronds, effarés.

« Attention… recule-toi… »

Posé sur l'égouttoir, le revolver luisait d'un faible éclat bleu nuit émanant de l'intérieur, une lueur amortie dont Lizabeth savait qu'elle serait froide et vive au toucher, comme le poisson aux yeux vitreux et maculé de sang près duquel se trouvait le revolver.

« Tu n'as rien vu. Compris ? Tu n'as rien vu et pas un mot, jamais, à âme qui vive. C'est compris ? »

Lizabeth fit oui de la tête. Mais elle se rappelait à présent l'homme dans la ruelle. Oui, c'était sûrement un souvenir. Sauf que cet après-midi-là, à la cuisine, c'était comme si elle voyait la scène pour la première fois. Comme si elle avait acheté son billet au guichet du Cinéma Bellmawr et, blottie dans le noir, à se tortiller sur son siège, qu'elle attendît le moment où les images commenceraient à défiler sur l'écran. Et le début, c'était forcément l'histoire de la chenille.

« Donc c'est moi qui en ai eu le plus gros et si je ne meurs pas, elle non plus elle ne va pas mourir, alors arrête de pleurnicher. »

Lizabeth a si souvent entendu cette histoire qu'elle peut la raconter aussi bien que sa mère. Pas encore avec des mots, pas encore tout haut, mais elle peut mettre en place les personnages (son père, sa mère, elle-même toute petite), les voir bouger, et comprendre, lorsqu'ils ne se trompent pas de texte, car elle saurait tout de suite si quelqu'un racontait de travers. Cette fois, lorsqu'elle entend l'histoire de la chenille, elle a presque six ans et est assise sur les genoux de sa mère. Assises toutes les deux de façon à regarder dehors par la fenêtre dans Cassina.

Toutes deux regardent le gris qui recouvre tout, un gris de fin d'après-midi qui s'est accumulé au fil d'une journée d'automne n'ayant pas vu une seule fois le soleil. Tangible comme de la suie, ce gris s'incruste dans les joints entre les pavés, scelle les portes et les fenêtres des maisons d'en face. Bientôt des lumières jauniront les fenêtres mais à cette heure intermédiaire rien ne vit derrière les panneaux gris des bicoques de l'autre côté de la ruelle. Lizabeth a appris le numéro *Sept-Mille-Quatre-Cent-Quinze* Passage Cassina et sait le répéter à un policier si elle est perdue. Mais si elle est Lizabeth French, elle ne peut pas se perdre, parce qu'elle sera ici dans cette maison qui n'a pas besoin de numéro pour être la bonne, la seule et unique au milieu de tous ses sosies du Passage Cassina.

Elle ne se perdra pas parce qu'il y a un terrain à côté, où son Papa va faire pousser des légumes, que sa maman mettra en bocaux, comme ça toute la famille mangera le soleil et l'énergie emmagasinée dans ces bocaux et il y aussi trois marches en bois que son Papa a construites, où on peut rester assise à ne rien faire, à en être bête comme une mouche sous ce même bon soleil, et aussi des chambres à l'étage, sa sœur qui ronfle et la petite visite de la bougie, la curieuse ! avant que son Papa ferme la porte sur l'autre bord du gouffre de la cage d'escalier.

La dernière maison, juste avant le terrain vague au coin, est Lizabeth et Lizabeth n'est ni plus ni moins que la plus ténue des toiles d'araignée tendue dans un angle poussiéreux où les bruits, les odeurs, toutes les scènes de la maison se rejoignent.

Lizabeth voit les yeux de sa mère perdre leur éclat vert. Elle essaie de ne pas bouger du tout. Elle n'est plus maintenant un petit asticot, comme l'appelle toujours sa maman parce qu'elle est toujours en train de se tortiller, elle n'est rien du tout maintenant parce que, si elle reste bien sans bouger, sa maman l'oublie et Lizabeth qui n'est rien, qui n'est pas un petit asticot ni trop grande désormais pour qu'on l'ait toute la journée sur les genoux, peut voir les ombres se creuser et les yeux maternels virer au gris comme les maisons d'en face.

« Fut un temps où dans le Passage il n'y avait pas l'ombre d'un seul pavé. Et en face, là où tu vois ces masures, poussaient des poiriers et des pommiers sauvages. Puis est arrivée la guerre et ensuite il y a eu un défilé sur l'avenue : ah ! fallait les voir, fiers comme des coqs. Ils avaient traversé la mer et ils se savaient superbes en uniforme, ils ne comptaient pas passer inaperçus. On s'entassait des deux côtés de l'avenue pour voir défiler ces soldats noirs retour du front. Le 505e Régiment de Sapeurs. Tout le monde était fier d'eux et eux qui roulaient des mécaniques.

C'était comme s'ils dansaient sur l'avenue de Homewood et en un sens, c'est ce qu'ils faisaient ; quand ils passaient en lançant haut la jambe comme ça, on avait soi-même des fourmis dans les pieds. Et la grosse caisse qui te résonne dans la poitrine : quand Elmer Hollinger bat son tambour, on a l'impression qu'on va exploser. Tout Homewood était dans la rue ce jour-là. Des gens que j'avais encore jamais vus. Tous ceux pour qui on a bâti ces bicoques ici dans le Passage Cassina. Des gens jamais sortis de leur cambrousse, qui flanquent leurs gosses dehors le matin et ne les rappellent que le soir à l'heure du frichti. De vrais petits sauvages. Que leurs parents laissent faire et dire des tas de saletés et qui ne savent pas à quoi ressemble un peigne.

« C'est pour ça que je ne te lâche pas, ma puce. C'est pour ça que ta maman, des fois elle est obligée d'être méchante et t'interdit de sortir alors que toi tu as envie de courir dehors. »

Lizabeth adore ces moments de tranquillité où elle peut rester comme ça assise, où elle a sa maman pour elle toute seule, où sa maman lui parle, parle devant elle, se parle mais assez fort pour que Lizabeth entende tout. Elle a besoin que la voix de sa mère donne au monde une réalité. (Bien des années plus tard, grand-mère à son tour, et ses parents morts depuis longtemps, Lizabeth essaiera toujours de comprendre pourquoi il faut une voix extérieure pour que le monde devienne réel. Elle sera assise dans une pièce, entourée de ses enfants et petits-enfants, tout le monde mange, parle, rit, mais elle, elle ne verra qu'un long tunnel noir, et ce long tunnel noir est sa vie, une vie où il ne s'est rien passé et elle aura envie de hurler devant ce noir, contre ce vide, de se tordre les mains parce que rien ne paraîtra réel et en fait elle sera seule dans une pièce peuplée d'inconnus. Elle aura besoin de raconter à quelqu'un comment c'est arrivé. Mais tous ceux susceptibles d'être intéressés seront morts depuis longtemps. Tous ceux susceptibles de savoir de quoi elle parle seront depuis longtemps disparus mais elle a besoin de le raconter à quelqu'un, alors elle commencera par se le raconter toute seule. En battant du pied la mesure. Puis elle se retrouvera à parler tout haut. Les autres écouteront, tendront l'oreille. Elle verra dans le tunnel et en fait ce ne sera pas du tout un tunnel mais une porte donnant sur quelque chose de clair et de lumineux. Quelque chose de simple, qui sera si parlant que d'un seul coup cela éclatera comme un ciel d'éclairs l'été pendant l'orage. Histoire bien racontée devient réalité.)

« Regarde-moi ç't oiseau. On sait où il était passé. On sait ce qu'il fabriquait. Regarde-le crâner. On sait tout de suite qu'il était chez Rosemary, à jouer aux dés, agenouillé, avec ces bons à rien de négros. Ne fais pas attention à moi, ma puce. C'est ton Papa et un brave homme, alors ne fais pas attention à moi si je dis que j'aurais envie de pouvoir me glisser jusque là-bas, d'arriver derrière lui et de lui botter les fesses tout le long du chemin jusqu'à la maison. Voilà une heure qu'il aurait dû être rentré. Qu'il aurait dû être là pour te surveiller pendant que je commence à préparer à manger. Regarde-moi ça. Monsieur se balade dans Cassina comme si c'était lui le propriétaire des lieux et qu'il ait tout son temps. Ta sœur va se réveiller d'un instant à l'autre et se mettre à brailler dès qu'elle aura les yeux ouverts, mais lui rien ne le presse, il prend tout son temps.

« Et il a gagné. Il a trois sous en poche. On devine, rien qu'à sa façon de marcher. Il marche comme s'il traînait un fardeau sur lui, comme si la ferraille des autres l'accablait. S'il avait perdu, il serait tout sourire, il déboulerait ici avec son baratin, il jouerait avec vous et ne me laisserait quasiment pas fermer l'œil de la nuit, ç't animal... Je n'ai jamais vu un homme hilare quand il joue ce qui devait servir à nourrir sa famille. Mais je n'ai jamais vu non plus un bonhomme faire une tête d'enterrement quand il gagne. »

Lizabeth n'a plus besoin de regarder. Son Papa va continuer d'approcher, bientôt il franchira la porte. Leur vie ensemble recommencera. Il rentre de chez Rosemary, avance dans Cassina. Il est là si on regarde, il est là si on ne regarde pas. Comme pour le reflet, l'image de la mère et de la fille en suspens dans la grisaille du Passage. C'est là si elle regarde, c'est là si elle ne regarde pas.

Elle en revient à la vitre et s'aperçoit qu'elle était partie très loin, qu'elle est restée très longtemps perdue dans ses rêveries, mais son Papa s'est à peine rapproché, il prend son temps, les poches alourdies des sous de quelqu'un d'autre, et le haut de son chapeau dépasse les toits de Cassina, tous déjà dans l'ombre.

Les bras de sa maman sont une deuxième peau, une chaude fourrure où se blottir, à l'abri de la grisaille et du froid déjà un peu glacé en cette fin d'après-midi d'octobre. Elle chantonne toute seule une chanson sur l'histoire de la chenille que sa maman vient de raconter. Sa petite sœur dort, Lizabeth a donc sa mère pour elle toute seule. Toujours quand elles sont seules, ensemble, c'est le meilleur moment de la journée, même si ça vient maintenant alors que le jour touche à sa fin, elle assise à la fenêtre sur les genoux de sa maman, et sa maman, après avoir conté une fois l'histoire de la chenille, silencieuse et grise comme Cassina. Parce que Lizabeth a une petite sœur, Geraldine, qu'il lui faut aimer, bien que le bébé rapetisse la maison et rétrécisse le temps que Lizabeth, sans se poser la moindre question, passait avant avec sa maman. Lizabeth n'a pas encore tout à fait six ans en ce début de soirée, en cette fin d'après-midi qu'elle se remémore, et que pendant cinq ans elle ne s'est pas rappelée ni n'a revécue, mais qui revient se projeter comme un film sur un écran l'après-midi où sa maman sort le revolver de sous le frigo.

Sa mère pousse un cri et enfonce le poing dans la vitre. Un coup de feu claque dans la rue. Son Papa, ventre à terre, passe devant le trou déchiqueté, là où se trouvait la vitre, sous une pluie de verre, au galop, plus vite qu'elle ne l'a jamais vu bouger, passe devant le cadre vide qui s'effondre, en direction du terrain vague. On entend le cliquetis d'un pistolet sur les pavés, un homme s'enfuir dans la ruelle encaissée.

Jésus Marie Joseph.

Le poing de sa maman, c'est comme si on avait relié ses articulations par des bouts de ficelle écarlate. La chaise bascule en arrière tandis que sa mère écarte brutalement Lizabeth des dents de verre. Bébé Geraldine glapit à l'étage telle une bête blessée. Lizabeth rêvassait, entre ses rêveries et son Papa il y avait la fenêtre, il y avait séparation, un intervalle sans danger, mais à présent voilà le verre en mille morceaux, l'air du dehors contre sa joue, la main de sa maman en sang et les bras de sa maman la serrent trop fort, l'écrasent, comme si son petit corps pouvait arrêter le tremblement du plus grand qui l'enveloppe.

« Lizabeth... Lizabeth... »

Quand sa maman avait hurlé pour prévenir, les yeux de l'homme, d'un bond, avaient sauté du dos de son Papa à la fenêtre. Lizabeth avait vu le revolver mais n'y avait pas cru avant que sa maman pousse un deuxième hurlement et lance le poing à travers la vitre. Du coup, le pistolet était devenu réalité, voilà qu'elle avait entendu les cris qu'à son tour elle poussait et son Papa était aussitôt devenu cet homme qui allait se faire abattre dans la ruelle.

Si un poing n'avait pas traversé la fenêtre, peut-être ne se serait-elle pas rappelé ces cris, ces éclats de verre, ces coups de feu le jour où elle vit sa maman extraire un revolver de sous le frigo avant de le déposer sur l'égouttoir maculé de sang.

Mais Lizabeth se souvenait, elle avait vu et elle savait qu'Albert Wilkes avait tiré sur un policier avant de prendre la fuite, elle savait qu'Albert Wilkes avait débarqué chez eux en pleine nuit et donné son revolver à cacher à son Papa, et qu'Albert Wilkes ne reviendrait jamais, que s'il retournait à Homewood, il était mort.

« Tu n'es qu'un idiot, John French, tu ne vaux pas mieux que le reste de ces ivrognes, de ces bagarreurs du Baquet de Sang : garder un pistolet dans une maison où il y a des enfants, mais tu n'as donc pas de gingin, il faut vraiment n'avoir qu'un petit pois dans la tête pour faire une chose pareille, qu'il soit chargé ou pas, et fais-moi le plaisir d'emmener ce machin, tout de suite, où ça, je m'en fous mais embarque-moi ça. »

Et sa mère de crier plus fort que jamais, comme la fois où il l'avait taquinée avec le rat sanguinolent, à pendre au bout du piège : il l'agitait sous le nez de sa maman, qui l'avait d'abord disputé avant de crier puis de fondre en larmes, alors son Papa avait fini par comprendre qu'il était allé trop loin et il avait emporté le rat dehors…

Lizabeth se rappelait le jour où le pistolet était réapparu de sous le frigo, elle n'avait donc pas le choix, il lui fallait garder l'œil ouvert toute la nuit et sauver son Papa de sa folie, le sauver de l'intrusion de la brouette, des cendres encore fumantes, de la détonation d'un fusil de chasse, de ces histoires d'homme mort et d'homme pour toujours en fuite. Elle le sauverait comme sa maman l'avait sauvé. Au moins jusqu'à temps qu'il ait enfin planté son potager, que ça commence à pousser, qu'il installe une petite clôture et après personne ne serait assez fou pour dépoter des cendres sur un terrain appartenant à John French.

Maman, tu devrais peindre ta cicatrice de rayures jaunes et d'autres orange.

Je te prie de ne pas te moquer de ma cicatrice. Elle a sauvé la vie à ton père.

Je sais. Et j'en suis jalouse. Parce que moi, je ne saurai jamais si je l'ai sauvé. Pourtant j'aimerais bien le savoir. En tout cas ce serait joli, Maman, une belle chenille orange et jaune à se promener sur le revers de ta main. Comme un tatouage. Moi, je l'exhiberais, si seulement je savais.

Je ne sais plus de quoi tu parles à cette heure. Tu dis n'importe quoi, là. En tout cas moi, je sais une chose : si tu n'avais pas été assise sur mes genoux, c'est tout mon corps que j'aurais passé par cette fenêtre et je me serais vidée de mon sang sur les pavés de Cassina, et donc ta simple présence m'a sauvé la vie, et voilà bien assez de sauvetages pour aujourd'hui, et bien assez de parlotte aussi, parce qu'à présent je vois John French qui revient de chez Rosemary et ça me rend triste mais je suis bien trop vieille pour être assise ici à pigner alors que j'ai mal nulle part.

HAZEL

T'occupe pas de ce qui te déteste. C'est ce qui t'aime qui est préoccupant...

Bess

Le jour où cela se produisit Hazel avait rêvé d'escaliers : le noir, où son frère Faun l'avait poussée ; le blanc, accolé à la maison qu'elle-même ne quitterait pas avant l'heure de sa mort. Dans la cage de l'escalier noir et raide on tombait toujours, de plus en plus vite. Aux premiers instants du rêve on pouvait compter les marches tandis que, de l'une à l'autre, les membres se rompaient sur l'arête vive du bois. Mais bientôt on tombait si vite que le corps se retrouvait comme à la traîne, le tintamarre saccadé du chapelet de boîtes de conserves qu'on attache à la voiture des jeunes mariés. L'escalier blanc, lui, montait. D'abord on grimpait patiemment. Le soleil le faisait luire et en imprimait l'ombre en noir sur le mur vierge des bardeaux. Si on levait les yeux on voyait le même motif se répéter, sans fin, jusqu'au ciel. Une échelle de neuf marches, étroite, oblique ; un palier ; une autre rangée de grille et de marches, d'un beige nu, presque blanc, dressée vers le palier supérieur. Patiemment d'abord, une marche après l'autre, chaque palier ne mène qu'à un autre pan d'escalier, voilà une éternité qu'on grimpe, on ne voit plus par terre, c'est trop loin mais le haut de l'immeuble ne s'est pas rapproché pour autant. Le soleil t'éblouit quand tu essaies de reprendre souffle. Tu as le vertige, tu es exposé.

Il faut continuer, vite, jusqu'au palier suivant. Tu t'aperçois que tu ne peux plus t'arrêter. Tu comprends tout à coup que tu es en train de tomber *en l'air* et ce rêve est pire que les mains de ton frère qui te jettent dans le gouffre noir.

« Allez, ma chérie, mange tes petits pois. »

Comme sa mère était prise par ces petits pois qu'elle divisait soigneusement chacun en deux hémisphères de couleur verte, Hazel tira la langue à ceux déjà préparés pour elle, ceux que sa mère avait poussés, de la lame de son couteau, en un petit monticule dans l'un des compartiments de l'assiette. « Ils sont bien juteux, dit sa mère au moment d'en transpercer un autre, pas commodes à attraper », et de trancher le petit pois, dont les deux moitiés disparurent dans la soupe grise noyant le fond de l'alvéole. Sa mère faisait tout bouillir et toujours gicler l'eau de la casserole sur l'assiette quand elle répartissait la nourriture de Hazel entre les trois secteurs de l'épais ovale. Si ce qu'on me donne à manger avait ces petites ailes comme les poissons, ça pourrait venir jusqu'à moi en nageant. Je poserais mes lèvres sur mon assiette et j'ouvrirais la bouche toute grande comme la baleine qui avale Jonah et ça nagerait comme ça jusqu'à moi.

« Tiens, voilà le reste. Allez, mange maintenant. »

Le couteau crissa, traversa la mare, poussant devant lui un banc de petits pois fendus, qu'il fit dégringoler pardessus la séparation et, du coup, la case la plus proche de Hazel finit aussi verte que dans son souvenir le printemps.

« J'ai un superbe morceau de poitrine d'agneau en train de cuire. Le temps que tu finisses tes petits pois et ce sera prêt, ma chérie. »

Tellement verte que Hazel eut envie de pleurer. Elle aurait aimé savoir pourquoi les larmes lui venaient si facilement, si brusquement, sans raison. Elle détestait les petits pois. Sa mère les faisait bouillir jusqu'à ce que la peau en soit molle et fripée. Ce n'était plus que de la purée lorsqu'on mordait dedans. Et depuis quand les petits pois se coupaient-ils en deux. *C'est pour éviter que tu t'étouffes, mon trésor. Maman n'a pas envie de perdre sa mignonne. On n'est jamais trop prudent.* Hazel avait fait la grimace et tiré la langue aux petits pois tout à l'heure alors que sa mère regardait ailleurs mais à présent elle avait envie de pleurer. Peu importe que ce soit tout écrasé, tout fripé, tout noyé mais elle n'avait pas envie de bouleverser ce tapis de verdure, d'y planter sa fourchette. C'était trop magnifique, trop vert. Un coin de printemps dans cette morne pièce qu'elle ne quitterait jamais.

Sa mère n'avait pas vieilli d'un poil. Fine, élégante, parfaite, celle qui se leva pour aller jusqu'au fourneau, vue de dos, c'était une jeune fille, ses hanches encore minces ne laissaient rien deviner des trois enfants qu'elles avaient portés. Les longs cheveux lisses qui, disait-on, lui venaient de sa mère Maggie, torsadés et épinglés en chignon sur le haut de sa tête. Et c'était, disait-on, Maggie tout crachée quand elle les libérait, les saisissait à deux mains, les ramenait par-devant, tous du même côté sur l'épaule, comme Maggie autrefois. Grand-mère Maggie dans la photographie ovale posée sur la cheminée. Ça, c'est ta grand-mère, Hazel. Tu ne trouves pas qu'on dirait une Blanche ? Elle pouvait s'asseoir sur ses cheveux. Aussi noirs et lisses que ceux de n'importe quelle Blanche. Elle aimait les laisser flotter, comme sur la photo. Elle restait là, assise, à jouer avec. Elle en enroulait la pointe autour de ses doigts. *Ça, c'est ta grand-mère. Dommage qu'elle soit disparue avant que tu aies pu la voir. Mais elle était trop fragile, trop belle. Elle n'avait pas été faite par le bon Dieu pour vivre longtemps en ce bas monde.*

Pas un seul cheveu gris dans toute cette masse noire quand sa mère transbordait ainsi sa chevelure, épaisse, à pleines mains, quand sa mère Gaybrella tirait, lissait en travers de sa poitrine ce long fleuve aux flots bruns. Oui, comme un fleuve ou la queue d'un cheval, large et fière.

Si sa mère ne vieillissait pas, elle ne pouvait que rajeunir, songea Hazel, parce que personne ne restait sans bouger. Hazel savait que personne ne pouvait demeurer sans bouger, pas même quelqu'un cloué dans un fauteuil, quelqu'un d'aussi impuissant qu'un petit bébé, quelqu'un qui ne sortait jamais. Même si on devenait Hazel, ou quelqu'un comme ça, impossible de rester sans bouger. Certains jours mettaient une semaine à passer. Certaines nuits elle se réveillait de ses rêves et l'obscurité l'assommait, la frappait en pleine figure comme un coup de poing d'homme et alors elle sombrait dans la torpeur et restait de longues et mornes années d'affilée ni éveillée ni endormie. Elle savait qu'avoir des enfants, cela faisait mal, que les femmes suaient et criaient pour parvenir à extraire de leur corps la vie. C'est pourquoi on appelait cette dure et tuante besogne le travail, et qu'on parlait d'une femme sur son lit de douleur. Elle savait qu'on souffrait à tirer de ses reins un enfant mais cela ne pouvait pas être pire que ces nuits, ces années interminables arrachées à la caverne du néant, au gouffre inerte qui s'ouvrait à partir de sa taille.

Non, impossible de rester sans bouger. On vieillissait, on ressemblait de plus en plus à une pierre avec chaque jour passé dans ce fauteuil, celui qui attendait au pied de l'escalier où son frère l'avait poussée. Et donc sa mère rajeunissait, redevenait jeune fille, au moment où, fine et gracieuse, elle s'approchait de la cuisinière et soulevait le couvercle pour jeter un œil à la poitrine d'agneau en train de bouillir.

« Ça commence à être bien tendre. C'est presque cuit. »

Une odeur de mouton emplit la pièce, les demi-petits pois ratatinés étaient déjà froids au toucher. Hazel en écrasa un sous son doigt. Comme elle essuyait cette bouillie sur la serviette placée à côté de son assiette, elle se demandait avec quoi Dieu se nettoyait les mains. Comment Il l'avait décollée de son pouce, après l'avoir écrabouillée, elle, dans le noir au bas de l'escalier.

Le jour où cela se produisit, elle rêvait d'escaliers et pensait aux petits pois qu'elle avalait et au mouton qu'elle mâchouillait, qui n'avait plus goût de rien du tout une fois que sa mère Gaybrella l'avait fait bouillir. Hazel n'avait jamais vu la mort avant ce jour où elle l'entendit rugir à côté d'elle. Jusque-là, la mort pour elle c'était cette drôle d'expression dans les yeux de sa mère, un air sournois, apeuré, qui ne correspondait pas vraiment à quelque chose de présent dans les yeux mais comme à une absence : les yeux mêmes absents du visage de sa mère. La mort, c'était les yeux de sa mère qui s'étaient cachés, tout un matin, tout un après-midi, évitant de croiser ceux de sa fille. On avait frappé à la porte de bonne heure et Hazel dans son sommeil avait entendu parler. Sa mère avait fait *chchut* et, le temps que Hazel plus ou moins réveillée, tende l'oreille, les messes basses derrière la porte avaient déjà cessé. Puis la porte d'entrée s'était refermée, le verrou avait été tiré, elle avait entendu une femme descendre la triple échelle de l'escalier extérieur et une étrange absence avait vidé les yeux de sa mère. Hazel n'avait pas demandé qui était arrivé à l'aube ni ce que cette visite avait apporté comme nouvelle. Elle n'avait pas demandé parce qu'il n'y avait personne à qui demander. Parfois leur trois-pièces au dernier étage de l'immeuble de M. Gray semblait plus petit qu'une robe que mère et fille essayeraient de porter toutes les deux en même temps. Mais le jour des yeux vides, sa mère avait trouvé mille et un endroits où se cacher dans ces pièces minuscules. Afin de se tenir compagnie, Hazel s'était fredonné tout son répertoire de chansons. Arrivé deux heures de l'après-midi, son anxiété, l'état d'alerte permanent qu'elle s'était imposé l'avaient épuisée. Elle était prête à pleurer ou à hurler et avait fait les deux quand sa mère était sortie de la chambre vêtue de son long manteau noir. Jamais sa mère ne sortait seule. Une ou deux fois l'an, au bras de Ferd, il lui arrivait de descendre pour s'aventurer dans les rues de Homewood, mais jamais seule. Un fichu sur la tête et, des chevilles au menton, le corps enveloppé de cette colonne de noir, pour la première fois de la journée elle s'était montrée à Hazel. Sa mère Gaybrella ressemblait à un enfant emmitouflé avant une sortie par un jour d'hiver. Un enfant dont les grands yeux étaient pleins d'adieu.

Elle me quitte. Elle s'en va. Mots trop horribles à prononcer. Impensables, mais Hazel avait été incapable de penser autre chose face à cette jeune fille-jeune femme à peau claire qui un jour avait été sa mère, qui à présent était trop jeune pour l'être, à cette enfant qui pour toujours s'en allait.

« C'est John French, ma puce. »

Puis voilà les yeux de sa mère repartis ailleurs. Il n'y avait plus personne à qui demander pourquoi ou combien de temps, personne d'autre que sa pauvre carcasse d'estropiée dans cette pièce qu'elle ne quitterait jamais. John French : un doux géant au verbe haut, qui lui apportait des bonbons et des fruits. À qui sa mère souriait d'une façon que Hazel ne lui avait encore jamais vue. Et quand il embrassait Hazel sur le front chaque fois qu'il repartait, ces bises sentaient le vin et le tabac. On l'entendait arriver et repartir sur l'escalier extérieur qui déployait sa triple volée de marches, sur le côté, contre les bardeaux de l'immeuble de M. Gray.

« Si t'es pas raisonnable et descends pas de là-haut, un de ces jours, Gay, c'est moi qui vais monter te chercher. De force, s'il faut. Une belle femme comme toi claquemurée là-haut, qui met jamais le nez dehors. Tu vas voir, un de ces jours, je vais monter t'embarquer. »

John French : oncle ou beau-neveu ou tout autre parent qu'un homme devenait pour celle dont la mère avait une nièce l'ayant épousé. La cousine Freeda, qui était la nièce de Gert. Tante Gert, Tante Aida et Tante Bess : les sœurs de la mère de Hazel. John French avait des filles qui, elles aussi, lui étaient forcément apparentées. Toutes très gentilles, disait-il. *Je m'en vais demander à ces coquines de venir te voir un de ces jours.* Combien d'années depuis qu'il avait dit cela. Combien d'années avant que Lizabeth frappe à la porte le dimanche matin. On était dimanche, avait-elle dit, elle s'arrêtait juste une minute au retour de l'office. Et d'ajouter que son père passait le bonjour. Qu'il n'était pas au mieux de sa forme, le cœur et compagnie, mais il refuse d'écouter le médecin. Mon Papa a la tête dure, il est têtu comme une mule, avait-elle dit. Oui, il y avait combien d'années de cela mais Lizabeth venait encore, passait encore le dimanche dire bonjour. C'est comme ça qu'on sait que c'est dimanche. Lizabeth qui frappe à la porte, endimanchée, et : Bonjour, comment ça va ? C'est comme ça qu'on sait qu'il y a encore des dimanches : des dimanches d'hiver quand elle est vêtue d'un grand manteau, des dimanches d'été quand elle transpire sous ses beaux habits. Elle ôte son petit chapeau et le pose sur la table. Au printemps ses chapeaux ressemblent aux paniers-cadeaux qu'on offre à Pâques. Ma biche, ce qu'il peut faire chaud dehors ! Pfwoff ! dit-elle et elle allonge les jambes. Y a où mourir. Tante Gay, dit-elle, tu aurais dû entendre Miss Lewis ce matin. Crois-moi, elle sait encore chanter. Âgée ou pas, avec elle c'est tout le monde qui chante en chœur. Tu devrais venir la prochaine fois qu'elle chante. Elle fait toujours un solo avec la Chorale du Gospel et ils se produisent toutes les trois semaines. Tu devrais y aller et moi je resterais ici avec Hazel. À moins que Hazel vienne elle aussi. On pourrait trouver quelqu'un pour l'aider dans l'escalier. On pourrait trouver un fauteuil roulant et quelqu'un nous emmènerait en voiture. Et si vous veniez toutes les deux dimanche dans trois semaines ?

John French reconnaissable dans les traits de Lizabeth. Les pommettes saillantes, la mâchoire bien dessinée. Blanche comme son Papa, comme lui les yeux des French et ces beaux cheveux des French qu'il avait autrefois et que sa fille possédait encore. Lizabeth est comme John French : toujours à les asticoter pour qu'elles sortent un peu. Jeune fille, puis femme. Les années ne l'abîmaient pas. Lizabeth, elle, pouvait se lever quand elle avait fini son thé l'hiver ou sa citronnade l'été, oui, se lever et s'en aller sur deux bonnes jambes solides : les années n'avaient pas le temps de s'entasser sur elle. Elle n'en perdait pas par poignées entières au milieu de la nuit, pour se réveiller au matin vieillie de plusieurs années. Lizabeth n'avait pas mille ans, ce n'était pas une pierre, lourde d'innombrables années.

C'est John French, ma puce. Sa mère n'avait rien dit d'autre. Elle se contentait d'être là debout vêtue de son long manteau noir, redevenue fillette. Plantée là debout quelques instants, le temps de voir si son silence, ses yeux perdus allaient peut-être faire ce que les mots, elle le savait, ne sauraient accomplir. Mais ce silence et ces yeux fixés sur elle sans la voir, tournés vers elle sans jamais se poser, n'avaient pas arrêté les sanglots de Hazel et Gaybrella était sortie, avait descendu sur la pointe des pieds la triple échelle de marches avant de revenir, deux heures plus tard, toujours aussi discrète, d'ouvrir doucement la porte et de la refermer sans bruit, muette, cependant qu'elle se dépouillait du manteau noir, se lavait les mains et mettait de l'eau à bouillir pour le dîner.

La mort était cette absence dans les yeux de sa mère Gaybrella. La mort, c'était sa mère qui partait voir John French, qui partait sans un mot, sans la moindre explication, mais Hazel savait exactement où sa mère allait, et pourquoi, elle savait que si sa mère repartait un jour de la même façon, ce serait de nouveau la mort. Ce serait Tante Aida ou Tante Bess si elle repartait, s'il y avait quelqu'un d'autre qui pouvait l'amener à descendre l'escalier à pas de loup, lui faire perdre ses yeux comme avec John French.

Le jour où cela se produisit (le *cela* encore impensable, imprononçable comme le jour où sa mère s'était tenue sur le pas de la porte, toute de noire vêtue) avait commencé par un *Hou-hou !* lancé par Bess depuis la cour à l'arrière de l'immeuble.

« Hou-hou ! Hou-hou, Gay ! »

La petite Tante Bess qui, de la cour en bas, lançait ses vocalises. Ce qui voulait dire qu'on était mardi, parce que c'était le jour où Tante Bess venait faire la lessive. D'abord le rêve des escaliers, un noir et un blanc, puis pour commencer la journée Tante Bess criant : *« Hou-hou !* Qu'est-ce que t'as cette semaine ? On est mardi. Qu'est-ce que t'as à me donner ? »

La mère de Hazel détestait jeter son paquet de linge en bas mais, trop courte sur pattes, Tante Bess, elle, détestait toutes ces marches et comme c'était elle en l'occurrence qui rendait service, elle n'arrêterait pas avant d'amener sa sœur à réagir, à sortir sur le palier, et avant de voir le baluchon atterrir à ses pieds.

« Ahhh ! Regarde-moi toute cette poussière ! Qui vient se répandre sur mes affaires. Si elles n'étaient pas sales avant, maintenant ça y est.

— Tu me balancerais pas tes machins si c'était pas déjà sale. Je sais que t'es la plus propre de toutes, ma sœur Gaybrella, mais tu salis quand même, toi comme les autres.

— Évitons, si tu veux bien, de discuter de mon linge sale en public.

— En public ? Où tu vois le public, toi ? Moi je vois ici que deux vieilles mémés. C'est tout ce que t'as à me donner, Gay ?

— Je peux prendre soin du reste.

— Lance-moi donc tout. Ça tient pas debout de vouloir, comme tu dis, prendre soin du reste.

— Tu sais fort bien que cela m'est impossible. Tu sais fort bien que je ne laisse personne toucher au reste.

— C'est ça, insulte-moi. Tu te cramponnes à deux trois bricoles comme si t'avais pas confiance en moi, qui suis ta sœur. Alors que je me casse les reins à te faire ta lessive toutes les semaines.

— Si c'est trop de tracas, je ferai tout moi-même. Tu n'as qu'à me rapporter tout ça là-haut et je m'en occuperai toute seule.

— Tais-toi donc. Voilà des années que je fais ça. C'est pas aujourd'hui que je vais cesser.

— Alors tu sais très bien que je ne peux pas tout te donner. Que je tiens à laver moi-même nos effets personnels.

— Comme tu voudras. On est têtu ou on l'est pas. Si t'as mis des draps à laver, il faudra que je les étende ici. J'aurai pas la place chez moi aujourd'hui.

— Vas-y. Tu sais que je fais sécher mes deux trois petites affaires chez nous là-haut.

— Fais la bise à mon petit ange de Hazel. *Hou-hou*, Hazel ! Tu m'entends, ma cocotte ?

— Elle t'entend, Bess. Elle et tout le quartier.

— Je m'en fous du quartier. Je dis bonjour à mon petit ange et si y en a à qui ça plaît pas, je les enquiquine.

— Je t'en prie, Bess.

— Quoi, "je t'en prie" ? Jette-moi plutôt le reste de ton linge sale, que je puisse y aller. Et toi, pas de lessive aujourd'hui. Non, pas aujourd'hui.

— Je rentre maintenant. Merci.

— J'ai pas besoin de merci. Écoute-moi pour une fois : t'amuse pas à laver vos culottes et à les étendre au-dessus du fourneau. Au revoir. »

Et là-haut la porte claqua. Bess cria une nouvelle fois. *Fais pas de lessive aujourd'hui* mais pas assez fort pour que cela s'entende au sommet du triple escalier. Penchée en avant, elle resserra les cordons du sac à linge de façon à pouvoir se jeter le baluchon sur le dos. Elle avait les jambes courtes mais solides. Sa peau, de couleur ocre, était constellée de taches de rousseur. Jamais on n'aurait deviné que c'était la sœur de la femme au teint d'ivoire qui, du palier, avait lancé le paquet de linge. Bess hissa le sac et coupa en diagonale à travers les arrière-cours en direction du carrefour où Albion croisait Tioga et de sa machine à laver.

Oui, cela se produisit un mardi parce que sa mère avait claqué la porte et était rentrée en marmonnant : Cette Bess, ce qu'elle est mal embouchée. Sa langue finira par la perdre. Elle a épousé plus noir qu'elle mais de toute façon c'était déjà là, en bas de l'échelle, que la situait son langage. Toujours à traîner dehors avec tous ces nègres mal dégrossis, ces vauriens, ces ploucs. Sa mère Gaybrella était là à s'agiter, à danser, à ne pas savoir quoi faire de ses deux mains, jusqu'au moment où elle ouvrit le panier d'osier dans la salle d'eau, qui servait aux culottes sales, emplit d'eau le lavabo et commença sa lessive. Du coup, elle se calma. Au bout de deux minutes Hazel l'entendit chantonner. Elle entendait le petit clapotis de l'eau et la soie plongée et replongée. Elle sentait le savon parfumé et entendait contre la planche racler les doigts de sa mère y frottant leurs sous-vêtements.

Un souffle tiède était entré dans la pièce pendant que sa mère, debout sur le palier, parlait à Bess. Une brise printanière, estivale, verte comme des petits pois. Qui s'était répandue tel le soleil aux quatre coins de la pièce. Hazel l'avait vue effleurer les rideaux, sentie baigner ses cheveux sur sa nuque. Dans le fauteuil qu'elle ne quittait jamais sauf quand sa mère la portait jusqu'au lit tous les soirs, Hazel essayait de se souvenir du vent. Si elle fermait les yeux et se mettait les mains sur les oreilles, elle parvenait à l'entendre. Tirée près de la fenêtre, elle le regardait ployer les arbres, éparpiller les feuilles ou voyait les flocons de neige tourbillonner en tous sens dans sa poigne. Mais l'entendre ou le regarder jouer ne suffisait pas. Elle voulait se rappeler la sensation du vent quand on s'y précipitait, ou lui sur nous, qu'il nous collait nos vêtements à la peau, nous emmêlait les cheveux, dans le flot d'un sillage chaotique, coupait le souffle. Une fois, les joues entre les paumes, elle avait soufflé, de toutes ses forces, à en avoir mal aux mâchoires et les larmes aux yeux. Mais cela, ce n'était pas le vent. Ni n'avait fait revivre la sensation qu'elle voulait se rappeler.

« Maman. »

Sa mère tendait une corde à linge au-dessus du fourneau. Nettoyés, essorés, leurs sous-vêtements s'étaient changés en cylindres serrés, empilés dans la cuvette posée par sa mère sur le buffet.

« Bess n'écoutait jamais Maman. Elle a toujours été la rebelle. Et têtue. Elle n'y est pas pour rien si Maman est morte prématurément. Elle était encore au berceau qu'elle n'en faisait déjà qu'à sa tête. Je lui ai pourtant expliqué mille fois, il y a certaines choses qu'on porte près de son corps et auxquelles il est tout simplement impossible de laisser qui que ce soit toucher. Et elle le sait fort bien. Comme elle devrait savoir qu'on n'étale pas la vie intime des gens sur la place publique.

— Maman.

— Qu'y a-t-il, mon trésor ?

— Est-ce que tu pourrais m'installer un instant dehors sur le palier ?

— Mon trésor, je me méfie de cet escalier. Il ne m'a jamais inspiré confiance. Voilà cent cinquante ans que je supplie M. Gray de faire le nécessaire pour le consolider. Ça craque sous les pieds, c'est tout branlant. Des fois on se croirait à bord d'un bateau. Non, cet escalier ne m'inspire aucune confiance. La dernière fois que je suis descendue avec Ferdinand, je sentais bien que les marches ne résisteraient pas à deux personnes ensemble. Je l'ai fait passer devant et me suis accrochée à lui, qu'on n'ait pas à se trouver tous les deux sur la même marche en même temps. Ça ne m'a pas empêchée d'être morte de peur jusqu'en bas. À craquer, à grincer comme ça le fait, il n'est pas question que je laisse ma mignonne s'aventurer là-dessus ne serait-ce qu'une seconde.

— Est-ce qu'il fait doux ?

— Oui, au soleil, mon ange.

— Je ne vais pas tomber.

— Allons, sois gentille, n'embête pas ta maman. Tu vois bien que j'ai du linge à étendre. Et le ménage à finir. Et il faut que je trouve aussi le temps ce matin de faire un brin de toilette et de me laver les cheveux. Je n'ai pas envie de ressembler à une vieille sorcière quand Bess reviendra cet après-midi avec la lessive. On n'a pas le droit de se laisser aller, mon trésor. Il faut rester bien propre sur soi, quoi qu'il arrive. Peu importe ce que les gens voient ou ne voient pas. Ce sont les endroits que les autres ne voient jamais auxquels on doit faire le plus attention. Mais tu sais déjà tout cela. Oui, ma poulette elle sait déjà tout cela.

— Quand tu auras terminé, s'il y a encore du soleil, peut-être que…

— Ne m'embête pas. J'ai suffisamment à faire comme ça sans que tu t'y mettes. Tiens-moi plutôt compagnie un moment. Ou fais un petit somme si tu es fatiguée. »

Hazel suivit des yeux sa mère cependant qu'un par un elle désentortillait leurs sous-vêtements et les épinglait sur le fil tendu au-dessus de la cuisinière. Les deux brûleurs du fond étaient allumés. De la vapeur s'échappait des slips et des bodies à dentelles.

« J'ai comme le pressentiment que Ferdinand va passer aujourd'hui. Lors de sa dernière visite, il a dit qu'il était en train de se faire couper un nouveau costume et si je connais mon fils, cela ne va pas tarder, il va falloir qu'il vienne là-haut voir sa maman, montrer ce qu'il est tout fier d'avoir acheté. Je n'ai pas à me plaindre de mon fils. Ferdinand ne m'a jamais causé le moindre souci. Si tous les fils étaient aussi gentils que lui, avoir des enfants ne serait pas le fardeau que c'est bel et bien. C'est dur. Crois-moi. C'est une dure épreuve. Quand je te regarde assise dans ce fauteuil et que je pense à la terrible culpabilité qui pèse sur les épaules de ton autre frère, tu ne peux pas savoir comme c'est dur. Et alors des fois je me dis, ma pauvre petite elle va passer à côté de plein de choses mais en même temps elle est bénie du ciel parce qu'il y en aura plein qu'elle n'aura jamais à subir. Toute la saleté de ce bas monde, les mensonges des hommes, leurs mains obscènes, ce qu'ils fourrent en toi, ce qu'ils font de toi, leur bon plaisir et leur progéniture, et le comble, c'est qu'il faudrait qu'on aime ça. Il faudrait qu'on dise *merci* et qu'on se prosterne devant eux comme s'ils étaient les rois de l'univers. Alors bien sûr je pleure sur ton sort, mon trésor. Mais en même temps tu es bénie du ciel. Et mon cœur se réjouit de savoir que tu resteras propre et pure. »

C'était toujours « ton autre frère » quand sa mère parlait de Faun. C'est elle qui lui avait donné son nom, et elle aussi qui, avec le même soin, le lui avait ôté après qu'il eut poussé sa sœur dans l'escalier. Celle qui le tenait pour responsable, qui ne pouvait pas pardonner, qui en quinze ans n'avait plus prononcé son nom, c'était la mère. Il y avait Ferdinand et « ton autre frère ». Hazel avait toujours utilisé des diminutifs pour ses frères. Depuis qu'elle était en âge de parler, c'était Ferd et Faun. Mais sa mère, elle, articulait bien chaque syllabe et regardait de travers les gens qui ne disaient pas *Fauntleroy* et *Ferdinand.* J'ai donné un nom à mes fils. Un vrai. Tous les nègres ont un diminutif. Il leur en arrive de partout : des Blancs, des gamins, des voyous et autres négros illettrés. Tous prêts à te baptiser en une seconde. Moi, j'ai choisi un vrai nom pour mes garçons. Plein de force et de qualité. Un nom qui leur vient de leur mère et tant qu'ils seront en vie, c'est cette personne-là qu'ils seront dans ma bouche. Mais elle s'était trompée. Fauntleroy était devenu « ton autre frère ». Faun avait contraint sa mère à se dédire.

Petit et timoré, par ses façons d'être et de s'habiller Ferd faisait presque dandy. Il était quasiment aussi maniaque que leur mère. Il ne supportait pas un grain de poussière sur ses chaussures. Sa chaîne de montre et le pommeau de sa canne — une tête d'aigle dorée — brillaient comme s'il venait de les astiquer. Toujours tiré à quatre épingles, il avait les yeux bridés et pinçait les lèvres pour sourire. Lors de ses visites, il ne regardait jamais sa sœur en face. Ainsi, une jambe croisée sur l'autre, il bavardait avec sa mère et buvait son thé dans l'une des tasses spéciales en porcelaine auxquelles lui seul avait droit. Hazel savait qu'il n'aimait pas beaucoup leur mère. Qu'il ne l'avait jamais adorée comme, depuis toujours, Faun et elle. Aux yeux de Ferd, Gaybrella n'avait jamais été une reine des fées. Étant enfant, il se moquait d'elle et de ses habitudes. Une fois, les lèvres pincées, il leur avait demandé : Si elle est si bonne que ça, si elle est si parfaite, pourquoi Papa l'a-t-elle quittée ? Mais les papas n'avaient rien à voir avec les reines des fées et devant une question aussi bête tous deux avaient pouffé de rire. Puis, comme leur père, Faun avait pris la fuite ou été poussé à la prendre et, depuis, dans la voix de Ferd, tandis qu'il buvotait son thé et rapportait les derniers potins, Hazel percevait le sarcasme, la raillerie, la même question narquoise qu'il avait posée à propos de leur père reprise à propos du frère absent. Hazel savait que sa mère entendait elle aussi cette question et discernait l'aversion dans les yeux distants de Ferd mais au lieu de le chasser de la pièce, au lieu de le punir comme elle punissait Faun au moindre écart, elle raffolait de Ferdinand. Le bras de Ferdinand était le seul qu'elle acceptait, le seul ayant droit de l'emmener jusque dans les rues de Homewood.

Faun était comme le vent. Certains jours Hazel se répétait son nom à l'infini. Jamais Fauntleroy mais *Faun.* Faun. Elle fermait les yeux et essayait de se le représenter. Le souffle de son nom, doux et tiède : il pouvait, la berçant, l'endormir ou la faire rêver les yeux ouverts et revoir le temps où ils couraient ensemble, parlaient ensemble, partageaient mille secrets. Faun était son frère et le seul homme qu'elle ait jamais aimé. Petite, elle avait déjà compris que tout autre homme qui entrerait dans sa vie serait mesuré à l'aune de ce frère. Six jours par semaine il tuait des bêtes. Il se changeait toujours en arrivant au travail mais Hazel croyait sentir le sang de l'abattoir, deviner dans les mains de Faun une force meurtrière lorsqu'il lui pinçait la joue et la taquinait en lui disant qu'elle devenait plus belle tous les jours. Son grand frère qui était comme le vent. Changeant comme le vent. Mais peu importait ses sautes d'humeur : l'important, c'était de rester proche de lui. C'est pour cela qu'ils se bagarraient. Qu'ils s'en prenaient furieusement l'un à l'autre mais faisaient corps, inséparables, face au reste du monde. Et donc, ce jour-là, entre lui, avec toute l'arrogance de ses vingt ans et de son empire sur d'autres femmes, et elle, à dix-sept ans, la sœur de cet homme, qui apprenait à lâcher prise et apprenait aussi le pouvoir de sa féminité, pouvoir qu'il rejetait chez elle et recherchait ailleurs, oui alors qu'entre eux les frottements, les frictions étaient devenus quotidiens parce que tous deux se rapprochaient trop, et en même temps s'éloignaient trop l'un de l'autre, la bagarre dans la cuisine ne différait en rien des trente-six précédentes, sauf que sur les épaules de la sœur les mains habituées aux abattoirs poussèrent plus fort que voulu et, entraînée, trébuchante et titubante, par le recul dû à un coup qui ne lui avait pas vraiment fait mal, elle perdit l'équilibre, passa par la porte de la cuisine que quelqu'un n'avait pas refermée à clé et dégringola l'escalier raide et sombre jusqu'à l'étage de M. Gray, au premier, où l'attendait le fauteuil d'où elle ne se lèverait jamais.

« Je m'attends à le voir apparaître d'un instant à l'autre en haut de cet escalier. »

Sa mère avait libéré ses cheveux. Ils lui tombaient jusqu'à la taille et, tandis qu'elle balayait la cuisine, ils dansaient, valsaient comme la queue d'un cheval, large et fière.

Lorsque soudain… Cela se produisit si vite que Hazel était incapable de préciser l'ordre des événements. Cela s'était produit, point. L'innommable, l'imprononçable, exprimé là sous ses yeux.

Une odeur de brûlé. Presque comme du mouton. Des flammes qui crépitent au-dessus du fourneau. Des plumes de cendre qui tombent. Sa mère qui crie quelque chose. Des mots ou un nom. Un regard de panique par-dessus l'épaule en direction du fauteuil. Hazel clouée là. Puis les flammes comme des ailes qui surgissent sur le dos de sa mère. Sa mère qui tourne, tournoie, tourbillonne, fine et gracieuse comme une jeune fille. Sa mère Gaybrella qui empoigne le fleuve de sa chevelure et la jette sur l'épaule par-devant et le fleuve en feu embrasé dans ses poings. Est-ce à ce moment-là que sa mère a crié ou bien criait-elle depuis le début ? Était-ce vraiment des cheveux dans ses mains ou bien la robe en feu qu'elle tentait d'arracher de sur son dos ? Et lorsqu'elle est passée en trombe près de Hazel tel un vent torride et rugissant, que disait-elle ? Qui, implorante, appelait-elle au secours ? Quand sa mère s'est jetée sur la porte et a défoncé la rambarde avant de disparaître, à la rencontre de qui allait-elle, qui la poussait à partir sans un mot, sans une explication.

Quinze ans après le jour où cela se produisit, quatorze ans après la mort de Hazel à son tour, Lizabeth se trouvait à bord de l'ambulance qui, sirènes hurlantes, fonçait vers l'hôpital de l'Alleghany. Elle se trouvait là parce que Faun était le fils de Gaybrella et le frère de Hazel, qu'elle avait rendu visite à Faun tous ces dimanches et qu'elle était l'une des rares à se rappeler toute l'histoire. Elle avait appris son retour à Homewood mais ne l'avait pas vu avant le jour où l'une des paroissiennes qui, dotée elle aussi d'une longue mémoire, lui avait demandé si elle savait son cousin malade. Lizabeth était donc allée lui rendre visite à la maison de retraite, lui avait tenu la main, avait assisté pendant deux mois au supplice de sa lente agonie, assisté à son calvaire silencieux parce que la maladie l'avait rendu muet. Elle ne savait pas s'il la reconnaissait mais dès que possible elle allait le voir. Quand ses yeux s'étaient révulsés et que sa bouche avait commencé à écumer, un infirmier avait appelé l'ambulance. Lizabeth voyagea avec Faun dans le véhicule hurlant et elle était donc présente lorsqu'il se redressa droit comme un i et parla pour la première fois en deux mois. « Je m'excuse… je m'excuse », telles furent ses paroles. Elle entendit clairement puis il commença à faillir, pour la dernière fois, chancelant, mettant ses forces ultimes à résister aux mains des aides-soignants qui essayaient de le recoucher sur le brancard. Elle pensait l'avoir entendu dire : *Pardonnez-moi*, elle pensait que telles avaient été les dernières paroles de Faun mais elles étaient sorties crachotées de ses lèvres écumantes, prononcées par un homme à bout de forces et elle ne pourrait donc en jurer.

LE CHINOIS

Les toasts *(longs poèmes narratifs d'inspiration obscène composés par des Noirs bardes des rues) puisent largement dans l'argot du jour mais ils reprennent aussi un vocabulaire et des tours plus anciens. Dans ces récits de la tradition orale le Chinois représente un symbole de déclin et de mort.*

Voir « Toasts », William Labov *et al.*, *A Study of the Non-Standard English of Negro and Puerto Rican Speakers in New York* (New York, Columbia University, 1968).

Derrière la fenêtre la dernière neige de la saison n'est blanche qu'avant de toucher la chaussée. Et les pensées de Freeda ne sont les siennes qu'avant d'atteindre la vitre embuée, où elles expirent en silence, humides comme des larmes, comme la neige au contact de l'asphalte.

Afin de croire à qui elle est, Freeda doit revenir en arrière, battre en retraite : que sa voix lentement déroule sa bande, lentement se défasse, que sa voix revienne en arrière avec elle, seule avec elle, dans l'inévitable silence qui enveloppe tout. Que Freeda se parle toute seule. Raconte des histoires. Se raconte.

Un jour… un jour… son premier bébé né prématuré, ne respirant pas. Dehors il neige et tout à coup sa cousine May soustrait la petite à ces pleureuses qui ont hurlé, gémi, et qui entament déjà à voix basse les prières des morts. La porte claque, secoue la petite maison de bois du Passage Cassina, brise la paix à laquelle aspirent les mains jointes des femmes et leurs têtes baissées. Elles s'avisent que la nouveau-née, immobile et cyanosée, a disparu. Et May est dehors dans la neige, comme une folle, elle tient dans ses bras l'enfant morte, elle n'a même pas pris le temps d'attraper un manteau ou autre, elle aussi va attraper sa mort dans cette tempête de neige qui a réussi à passer la main à l'intérieur et s'amuse à jeter la porte contre le cadre.

Un jour… il y a de cela combien d'années… Freeda n'est encore qu'une gamine et ne demande qu'à pardonner, elle enfouit la tête dans l'oreiller mouillé, cache ses yeux des leurs parce qu'elle ne veut pas lire la mort de sa première-née sur le visage des femmes. Ce qu'elle veut c'est pardonner, pardonner à John French ces nuits d'amour. Pardonner aux yeux de ces femmes qui lorsqu'elle se plaignait avaient un petit sourire, lui montraient leurs cicatrices et leur chair fripée, disaient Doux Jésus et souriaient, grimaçaient en même temps qu'elle, disaient *Tout va bien se passer, petite* et *Dieu soit loué* et *Regardez comme elle est belle, elle le porte haut comme sa maman, Gert* et *Quelle peau magnifique* et *Mange, mignonne, mange tout ce qui te fait envie, tu manges pour deux maintenant.* Celles qui lui ont tenu la main et massé le dos, qui ont bravé la neige pour aller mettre de l'eau et des linges à bouillir et pour être là debout sur leurs jambes lasses quand est arrivée l'heure de son bébé.

Mais leurs yeux ne sont pas des yeux d'enfants. Elle n'arrive pas à croire qu'elles aient su tout le reste mais pas que le bébé était tourné à l'envers dans son ventre. Le regard de Freeda passe d'un visage à l'autre. Elles s'apprêtent à prier. Depuis le début elles prient et donc elles savaient depuis le début — impardonnables. Si on lui enfonçait la tête dans l'oreiller, elle deviendrait bleue comme sa petite. Les têtes de ces pleureuses impuissantes disparaîtraient. Alors elle pourrait leur pardonner. Ses tantes, ses voisines, sa cousine May — une fillette encore, comme elle. Freeda connaît leurs têtes mieux qu'elle ne connaît la sienne. Elle exècre ce qu'elle voit traîner de chagrin dans leurs yeux.

Freeda entend les femmes partir précipitamment. Une volée de pigeons, grouillante et anarchique, s'enfuyant du trottoir. Voilà qu'elles l'abandonnent. Elles, montagnes bordant la vallée de sa douleur. Elles, statues raides comme ces éplorées serrées autour du corps brisé du Christ sur le tableau de l'église de Homewood, dans le coin du catéchisme. Les voilà disparues et elle se retrouve toute seule. Elle n'a même pas son bébé près d'elle, si tant est que cet océan de douleur lui a bien apporté un bébé.

May… May… Elles crient par la porte ouverte.

May est agenouillée dans la neige, de l'autre côté de la ruelle, là où montent jusqu'à la taille les congères. Arc-boutée, elle protège du vent le bébé, dont elle plonge dans la neige le petit corps nu. Pour voir les autres, il lui faut tourner la figure face au vent. Ses cheveux, ses sourcils, ses joues sont plaqués de blanc. C'est une sorcière des neiges et personne n'ose avancer d'un pas. Elle leur crie quelque chose, que le vent aussitôt annule.

Puis May réussit à se relever et, le bébé dans les bras, franchit en sens inverse la porte restée béante. Et on n'a pas le temps de se précipiter pour refermer derrière elle qu'elle est déjà là à chanter alléluia Loué soit Ton nom Seigneur, et à caracoler.

« Sans ça c'est une tout autre histoire que je serai là aujourd'hui à raconter. Dame oui. Elle était si minuscule qu'elle aurait pu tenir dans une boîte à chaussures. Je mens pas ! Qu'on me pende si je mens ! C'est la vérité vraie, Dieu m'est témoin. Elle pesait qu'une livre et demie. Un tout petit bout de chou. On l'appelait "le p'tit peu" parce que c'était vraiment trois fois rien. Évidemment y avait autre chose dans ce nom-là. On pouvait pas s'empêcher de se dire : Elle peut vivre, comme elle peut ne pas. Du coup, tout le monde avait peur de l'appeler autrement : c'était "le p'tit peu", tellement minuscule ! Pour la nourrir, un de ces compte-gouttes pour les yeux aurait suffi. Elle dormait ou sommeillait que sur la poitrine de l'une d'entre nous, pour pas refroidir. Pelotonnée là comme un petit singe de rien, en boule là sur la poitrine. Son pouce dans la bouche. Jolie comme un cœur. Elle attrapait son petit pouce et hop ! dodo. À peine si on voyait les ongles sur ses doigts tellement ils étaient minuscules. »

La première-née, Lizabeth, notre mère, sauvée par May dans la neige. May a raconté l'histoire cent fois et pourtant chaque fois c'est nouveau et nécessaire... Si elle ne racontait pas l'histoire comme il faut, il n'y aurait pas de bébé grelottante à prendre vie entre ses bras au moment où elle se précipite par la porte qui bat. Non, il n'y aurait pas de Lizabeth, aucun de nous ne ferait partie du groupe rassemblé chez ma grand-mère rue Finance à écouter May raconter l'arrivée ensuite de Geraldine. Puis le garçon, Carl, mis au monde par ma grand-mère. Avec lui tout paraissait couler de source. Né au printemps. Lumineux et lustral comme la jeune pluie à flots dans le caniveau. Un garçon dans les bras de Freeda, dodu et braillard. Une ère de paix. Comme si l'avènement du fils était une promesse de ce qui désormais attendait la mère : des enfantements simples comme bonjour. Et donc, lorsque les jumeaux étaient venus et étaient morts, l'un à la naissance, l'autre nommée Margaret (comme la sœur du papa, John) au bout d'une semaine, ce que le premier fils avait pu apporter de paix se retrouva brisé en mille morceaux, éparpillés sur le chemin de Freeda comme autant de bouts de verre, comme les os desséchés de la Vallée de l'Ombre qu'elle devait traverser pieds nus sur les échardes cependant que son corps de nouveau se gonflait, que la vie et la mort de nouveau se partageaient son ventre. Et pour finir, Martha. Soit quatre. Et les saisons passaient. Les enfants étaient une réalité désormais. Aussi réels que le poids de John French sur son corps de femme, écrasé, moulé sur les draps amidonnés, feuille entre les pages d'un livre. Parfois, au moment de refaire le lit, quand elle repousse la couette qu'elle a elle-même confectionnée, elle voit la forme de son corps gravée sur la blancheur. Elle touche ses contours, ses creux, lisse les rides, tapote les bosses, pose les mains là où celles de John French se posaient : penchée sur la silhouette étalée que la masse de l'homme a imprimée sur les draps, elle se trouve, se découvre.

Parce qu'elle sait qu'un jour elle rabattra au bas du lit le patchwork aux mille histoires de cette courtepointe à liseré de velours, et il n'y aura rien. Parce que le dessin de son corps, s'il n'est pas creusé du poids de John French, n'est qu'une ombre pâle, une présence aussi inconsistante que l'onde d'un vent glacé courant sur le drap.

Freeda regarde la neige battre sans bruit la fenêtre. La regarde disparaître comme les traces de son corps quand elle tape le drap blanc. Le cercle des femmes s'est reformé autour d'elle mais les têtes sont vieillies, toutes grises, toutes ridées, comme la sienne la dernière fois qu'elle s'est vue dans le miroir ovale de la commode en chêne au bout de leur lit. Elle dit leur lit même si elle sait que ces têtes, grevées, piétinées comme les buttes noires de suie sur lesquelles Homewood agonise, sont venues lui dire que John French n'est plus. Si tu n'es qu'une enfant et que tu épouses un homme, un jour tu seras grande et l'homme ne sera plus. Il ne peut pas attendre, ni toi aller plus vite. Même si tâcher d'aller plus vite et d'attendre, c'est la fine fleur de ton amour, ce qui le rend supérieur à ce qui autour de toi passe pour de l'amour. Un jour John French ne sera plus et on n'y pourra rien. Deux fois ton âge lorsqu'il t'a volée. Deux fois ton âge lorsqu'il était au salon chez ta tante Aida assis sur le tabouret, les coudes sur les genoux, les épaules affaissées, les yeux baissés, tout en jambes et en bras, pendant que toi, dans la pièce du fond, où couchaient ton oncle Bill et sa femme, tu disais à ta tante : Me voilà mariée, et elle de répondre : Ça pour être mariée, il suffit de te regarder. Bravo John French. Il l'a eue, sa mariée. Et quand elle le dit, c'est blessant, tu te sens effrontée comme la petite garce, la sans cœur qu'elle n'a pas dit que tu étais. Elle ne lance aucune insulte. Elle ne fait pas d'histoires, c'est seulement sa façon de prononcer les mots : *mariée* comme une porte qui claque, *mariée* comme les cendres de toutes ces années de sacrifices pour t'élever... John French n'a jamais été aussi peu causant, jusqu'au moment où Tante Aida laisse sa nièce toute seule dans la petite chambre obscure, chuchote à l'oreille de son mari, et aussitôt Tonton Bill s'approche de l'armoire et en sort non pas le fusil de chasse qu'il y avait planqué, chargé, mais sa grande bouteille de bourbon et deux verres, qu'il remplit et dont il tend un à John French.

Oui, a-t-elle envie de hurler. Évidemment qu'il est mort. Que voulez-vous qu'il soit, quand je suis moi cette vieille couchée là. Trop massif pour être bougé, coincé qu'il était entre le siège des toilettes et le bord de la baignoire. Elle l'avait, de la cuisine, entendu tomber et avait aussitôt grimpé l'escalier quatre à quatre, jusqu'à lui. J'ai pas où caser les genoux, râlait-il toujours. Si c'est pas une misère : même pas pouvoir s'asseoir sur son trône comme il faut. Des deux mains, elle ouvre la porte. Pendant qu'elle grimpait l'escalier, elle l'a entendu pousser un gémissement mais là il ne bouge plus et le seul bruit dans la salle d'eau c'est le cœur de Freeda qui bondit dans sa poitrine. Mais quand elle réussit à s'agenouiller sous le lavabo pour atteindre John French et soulever son visage de la flaque de vomi qui s'étale sur le lino, elle entend la tuyauterie gargouiller et siffler les boyaux incontinents des toilettes. Elle fait le maximum avant de se précipiter vers la porte d'entrée et d'appeler au secours dans Cassina.

C'est Fred Clark qui fut le premier à venir. Qui l'aida à tirer John French d'entre les toilettes et cette baignoire qui lui cognait toujours les genoux. Il avait dû rendre l'âme le temps pour elle de redescendre à la porte parce qu'il était comme un poids mort quand ils le soulevèrent et mort quand ils l'étendirent sur leur lit.

Il y a toujours quelqu'un qui vient... On est bon à Homewood dès qu'il s'agit de venir. Surtout quand on ne peut plus rien faire. Quand il y a un mort et qu'on voit toutes ces têtes là autour de soi. Fred Clark d'abord, puis Vernetta a envoyé son bon à rien de mari, avec ses pieds tournés en dedans, et ils déposent John French sur leur lit. Vernetta Jones, elle, est au pied de l'escalier à geindre *: Aie pitié, Seigneur, aie pitié.* Oui, à geindre comme tu sais qu'elle le fera chaque fois qu'elle racontera cette histoire qui la démange, celle de John French trépassant dans la salle d'eau et *j'ai entendu Freeda hurler au secours, aussitôt j'ai envoyé Ronald, j'étais sens dessus dessous, vous savez combien de fois j'ai pu prier pour que John French retrouve le droit chemin, j'étais tellement sens dessus dessous que j'ai même pas pu monter. J'étais là, plantée au pied de l'escalier, à prier Aie pitié, Seigneur, Aie pitié, Seigneur, parce que je le savais mort.*

Freeda compte les têtes. Il y en a trois. Puis trois autres et encore trois, et trois de plus, et trois, et trois..., à l'infini. Et là il y en a une qui se cache derrière les autres. Une que les autres ne voient pas parce qu'elles regardent toutes en bas vers elle-même, l'œil plein de larmes, la bouche pleine de prières, en sorte qu'elles ne voient rien de la face jaune qui ricane derrière elles, le seul homme présent dans la pièce, le Chinois avec sa tête jaune de noix ratatinée. Il se moque d'elle, il est le seul à savoir que John French est mort depuis longtemps.

Le bord incurvé de la baignoire à pieds de biche et le fond du lavabo sont froids alors qu'elle essaie d'atteindre John French, à quatre pattes. Les pieds de Freeda en profitent pour filer en douce, dans la neige, courir nus. Elle avait rêvé un jour que cela se passerait ainsi. Un rêve froid et blanc dont elle frissonnait encore bien après s'être réveillée. Dans son rêve le Chinois était assis sur une palissade. Quand il montrait ses dents, c'étaient comme des poignards en or et il riait, riait de lui-même qui cherchait à faire un dollar avec quinze cents. Sacré Chinois, sacré Chinetoque ! et elle riait à son tour mais aussitôt il se mit à fondre, à couler du drôle de costume qu'il portait, un genre de pyjama. Puis sa figure d'exploser comme une pastèque. La peau, de plus en plus grasse, a gonflé, gonflé, lui a bouché les yeux, scellé la bouche et il n'était plus pour le reste qu'une coulée jaune sur la palissade. Elle savait qu'elle n'aurait pas dû rire. Elle savait qu'en fait il ne riait pas de lui-même mais de ce qui allait lui arriver à elle quand il aurait fini de fondre, toutes ses entrailles explosant par cette grosse face de lune. Elle se mit à grelotter à l'idée que ce visage était rempli d'une chose froide. Comme de la neige sauf que ce serait de la couleur du liquide dégoulinant de ses jambes de pantalon, du même jaune pipi et tout aussi gras sauf que ce serait froid, plus froid que tout ce qu'elle avait pu connaître, si froid que les petits bouts glacés de gélatine, projetés contre son corps, aussitôt la changeraient en pierre.

Trois mois s'étaient écoulés depuis la mort de ma grand-mère. Je m'étais rendu seul à Pittsburgh, par avion, pour l'enterrement. De retour à la maison, je n'avais pas beaucoup parlé d'elle. À Pittsburgh il avait fait un froid humide. Le jour de l'enterrement il avait plu. Il n'y avait pas grand-chose à raconter là-dessus, toutes ces rues grises, ces buttes grises et lugubres couvertes de maisons délabrées, tous ces gens gris eux aussi enveloppés d'imperméables funèbres et agglutinés sous des parapluies. Je ne pouvais pas en parler parce que c'était trop déprimant, ni parler de la nuit que nous avions passée, après avoir enterré ma grand-mère, à écouter des histoires et à boire du whisky. Car il fallait y avoir été pour comprendre pourquoi nous pouvions rigoler et picoler tandis que Tante May, enfoncée dans un fauteuil rembourré, ses pieds dans leurs bas touchant à peine la carpette, nous racontait les histoires de Homewood. À moins d'avoir connu tout cela et de l'avoir entendue dire ce qu'elle disait, on aurait jugé nos rires malséants. Et donc, une fois rentré, je ne m'étais pas montré très loquace. Je laissais ce voyage lentement s'inflitrer en moi. J'en buvais un peu de temps à autre, sans vraiment le goûter, exactement comme j'avais fait avec le Jim Beam la nuit où May avait raconté ses histoires.

Notre famille avait entamé sa migration annuelle en direction de la côte est. Huit cents kilomètres le premier jour et trois cents autres le lendemain avant une crevaison. Soudain une embardée à faire vomir : je freinai trop brutalement et perdis le contrôle, mais heureusement rien qu'une fraction de seconde, puis la Custom Cruiser me laissa la guider sur le bas-côté de la route. Tandis que je m'attelais au changement de pneu, ce qui voulait dire déménager d'abord les bagages emportés pour tout un été, afin de parvenir jusqu'à la roue de secours au fond du break, puis découvrir qu'il manquait un bout du cric, avant de pester contre cette manie qu'ont les Américains de négliger les détails, le ciel, entrevu par-dessus mon épaule, s'était divisé, bien net, en une couche de gris compact et une autre d'un blanc lumineux et spectral. La moitié sombre, au-dessus, avançait, chassant du ciel toute lumière ; toute l'énergie contenue dans la bande blanche, comprimée en un espace de plus en plus réduit, s'agitait et chauffait. Puis vinrent les roulements de tambour du tonnerre, et des coutures de lumière, des zigzags de feu fendirent l'obscurité.

Nous étions dans l'Iowa. Sur l'une de ces longues et mornes lignes droites de la Route 80 qui sont une façon de ne pas avancer, mais vite. Judy me hurla de revenir à l'intérieur de l'Oldsmobile. Elle a une peur maladive de la foudre, je considère donc qu'il m'appartient de l'en guérir, de traiter les orages avec dédain et nonchalance, sans dommages. Aussi pris-je tout mon temps pour renfourner les derniers cartons et autres valises que j'avais déchargés. La route ployait chaque fois que passait un semi-remorque. Et chaque fois je tressaillais, reculais, tanguais au souffle brûlant de ces poids lourds qui explosaient tout près. La terre qui soudain lâchait m'effrayait davantage que les foudres du ciel.

Les premières gouttes furent grosses comme des œufs. Elles tombaient moins qu'elles n'étaient lancées, par poignées : elles s'abattaient à l'intérieur du break et aspergèrent les bagages avant que j'aie pu rabattre le hayon. Une fois revenu à ma place, au volant, j'ai essuyé l'eau sur mes mains, mon visage, ma nuque. J'avais l'impression d'avoir couru longtemps, à fond, comme un peu essoufflé, avec un peu le vertige après l'exultation du corps.

« Ça va pas, non ? Pourquoi es-tu resté dehors jusqu'à la dernière seconde ?

— Si je te disais, tu ne me croirais pas.

— Très drôle. Tu as vu les garçons ? Bravo, avec tes imbécillités, les voilà terrifiés. »

Sur le visage des enfants attachés sur leur siège derrière nous, je percevais l'écho de la peur de leur mère, un immense silence qui leur montait aux yeux.

Mais, d'une certaine façon, c'était bien. Le tambourinement continu sur le toit, les vitres opaques sous la buée, les rafales de pluie giclant soudain contre la peau de métal. Les éléments se déchaînaient à l'extérieur mais nous, nous étions à l'intérieur dans notre cocon, à l'abri, ensemble. Cet isolement, ce détour inattendu me plaisaient.

« Hé ! on se croirait à bord d'un vaisseau spatial. Imaginons qu'on soit en route vers Mars. Attention au décollage ! »

Aussitôt on s'occupe de répartir les rôles, on se dispute le rôle de chef, on s'efforce de déterminer pour nos moteurs de fusée un niveau sonore qui ne soit pas un encouragement à la migraine que Judy sentait poindre.

Notre lancement, des plaines de l'Iowa, fut une réussite. Même si nous avions de l'eau jusqu'aux genoux et si certaines de nos commandes fumaient et crachotaient, notre arche s'éleva, frémissante, dans sa gaine de pluie mais bientôt libérée, elle accélérait, et fila, splendide, vers... ailleurs.

Je pus alors abandonner les commandes, éteindre l'interphone, alléguer la fatigue après six jours passés à explorer une planète vierge, à combattre les Dictosaures, les Todals, les hommes dont la tête pousse sous les épaules, le vaisseau était en bonnes mains, moi je pouvais fermer les yeux et écouter les fusées vezonner gentiment à travers la nuit intergalactique.

C'est alors que je l'ai vue. Que m'est venue ma grand-mère, Freeda. Elle porte un cardigan gris, léger, sans boutons, qui était peut-être jadis d'une autre couleur, mauve peut-être quand je regarde de plus près, ou peut-être est-ce le bleu violacé de la robe d'intérieur qui, sous le tricot élimé, donne à la laine comme une coloration. Les manches sont retroussées jusqu'au-dessus des poignets. Elle a une main, toute en longueur, posée sur les genoux. La peau, au dos, est sèche et distendue. Ce poignet trop fragile qui dépassait d'une manche au revers effiloché, si ma grand-mère essayait de rien soulever de plus lourd que la main à laquelle il était attaché, se casserait. Elle est assise dans son rocking-chair en bois devant un foyer masqué à l'aide d'un papier imitation briques. Juste au-dessus de sa tête le manteau de la cheminée, où s'étale toute la collection de nos photos. La télévision marmonne un peu plus loin. Éclats de rire, applaudissements. Lueurs ternes et tremblotantes avec l'image qui bouge et change. Elle glisse sa main par-devant en haut de sa robe, ses doigts cherchent à ouvrir l'épingle de nourrice qui retient le mouchoir dont c'est la cachette, là, contre ses sous-vêtements. Des lis dissimulés sous sa robe. Des lis qui se déploient sur ses genoux lorsqu'elle dénoue les coins du mouchoir à fleurs. Au milieu, quelques pièces et deux ou trois billets pliés avec soin en carré ; elle en ouvre un, aussi lentement qu'elle avait ouvert le tissu de soie. Quand elle avait réappris à parler après sa deuxième attaque, elle n'avait pu aller au-delà d'un mouvement restreint des lèvres. Sous l'effort accompli pour produire cet étrange langage, nasal, tonal, de rythmes et de grognements, sa tête ballottait. Si on tendait l'oreille on discernait les modulations de la voix propres au discours. Les mots étaient brouillés et tronqués mais on saisissait le message si on écoutait.

Prends. Prends-le. Prends, Spanky. Je pars de la maison. Le premier de la famille à suivre des études supérieures. Elle me met de force l'argent dans la main. *Vas-y, mon petit. Prends donc.* Un billet de cinq dollars aussi ridé et plissé que les pattes-d'oie à l'angle de ses yeux.

Malgré le vent, la pluie, les fusées et les bolides qui continuaient à passer en ripant sur la route invisible, j'entends ma grand-mère proposer l'argent… l'étrange et fantomatique gémissement que j'écrirais si j'en étais capable.

Trois mois après sa mort et finalement le moment était venu. J'éprouvai le besoin de parler d'elle. L'orage nous abandonna. Nous avançâmes clopin-clopant jusqu'à une station-service. Ils s'occupèrent du pneu crevé et promirent qu'un cric complet cette fois nous attendrait le lendemain matin. Nous décidâmes de faire halte pour la nuit, juste un peu plus loin sur la route au motel recommandé par le garagiste, un Holiday Inn surplombant le Mississippi. Les gamins endormis, je commençai à parler de ma grand-mère. J'aurais voulu que soient présentes la voix de May et celle de tous les miens réunis en cercle pour approuver, encourager, rire, compléter ce que j'ignorais ou ne pouvais me rappeler, mais ce n'était que moi qui chuchotais dans le noir de la chambre d'hôtel, craignant de réveiller mes fils.

Seize ans durant ils s'occupèrent d'elle. Ma tante Geraldine et Tonton Carl, le seul fils. Les autres filles, ma mère et sa sœur Martha, étaient mariées. À peine une semaine après la mort de son mari, Freeda eut une attaque. Elle faillit en mourir et même si son corps se remit, sa volonté, elle, ne s'en remit pas. Elle avait pour seule envie de suivre son époux dans la tombe, affirma tout le monde. D'être avec John French, dirent-ils tous. Elle n'en demeurait pas moins leur mère. Sans compter qu'ils vivaient encore sous son toit et donc, pendant seize ans, Geraldine et Carl prirent soin de la coquille qu'elle était devenue. La dernière année de sa vie, elle la passa surtout à l'hôpital. Elle ne bougeait plus, parlait rarement. Son sang s'était épaissi et il y avait toujours un risque de pneumonie ou un caillot à surveiller. Sans fin des piqûres et des médicaments qui au mieux lui procuraient trois ou quatre heures de lucidité par semaine. Au cours du dernier mois qu'elle passa chez elle avant d'être définitivement hospitalisée à l'Alleghany, elle se montra soudain très agitée. Comme une ampoule qui brille d'un éclat anormal juste avant de griller, son état parut s'améliorer. Ses yeux étaient redevenus vivants, elle faisait tout pour parler, être écoutée. Ma tante et mon oncle en étaient tout contents. Ils parlaient de rémission miraculeuse, de sursis. Le bon Dieu avait changé d'avis à la onzième heure... Même si c'était de la terreur qui se lisait dans ses yeux, même si ses gestes et sa complainte nasale évoquaient un spectre qui déjà la dévorait.

Carl fut le premier à comprendre le mot : les sons qu'elle s'était mise à répéter sans arrêt. Un mystère, lié autant à l'amélioration de son état qu'à sa terreur. Puis, au bout de plusieurs semaines, avec la certitude de ce que l'on sait ou a su depuis le début, Carl associa un mot aux sons. Un mot qui constituait moins une découverte qu'un souvenir. Une fois ce mot associé aux sons que sa mère avait produits, il se demanda bien comment cela avait pu si longtemps lui échapper. *Le Chinois.* La première fois qu'il le lui répéta tout haut, elle se retrouva bouche bée. Et de sa gorge monta comme un haut-le-cœur. Comme si le mot suffisait à faire surgir un Chinois, diabolique et menaçant à côté du fauteuil à bascule. *Chinaman. Chinky, chinky Chinaman, sitting on a fence. Trying to make a dollar out of fifteen cents./Chinois, Chinetoque, Chinois, Chinetoque assis sur une palissade, qui essaie avec quinze cents de faire un dollar.* Qui se cachait dans les coins. Qui se plantait près de son lit la nuit. Lui tirebouchonnait ses habits. Lui lacérait à coups d'ongles la figure et les mains, lui infligeait ces plaies rouges qu'elle leur montrait le matin.

Évidemment il la suivit à l'hôpital. Toute la famille le connaissait. Le Chinois la veillait, aussi fidèle que les proches qui se relayaient pour garder ma grand-mère, agonisante. Elle dormait presque tout le temps. À cause des médicaments. Trop épuisée pour soulever les paupières. Je commençais à douter d'elle. J'étais content d'être loin, de ne pas avoir à me rendre à l'hôpital. Mais les autres restèrent fidèles. Ils firent tout ce qu'il y avait à faire : laver, toucher, tenir bon jusqu'à ce qu'il ne reste plus rien d'autre. Et ce fut à eux qu'elle se plaignit du Chinois. Mais pour douloureuse qu'était cette lente agonie, le Chinois devint la risée de la famille. Le Chinois à Maman. Ils parlaient de lui comme on parle d'un chien. Le métamorphosèrent en vieux soupirant venu lui faire la cour avec des fleurs, des bonbons et la gaucherie d'un adolescent. Le ridiculisaient. Commentaient ses apparitions et ses disparitions, ses habits, ses cachettes, racontaient qu'il sifflait les infirmières et leur pinçait les fesses. La famille le voyait partout. On trouvait trace de son passage là où on ne l'attendait pas. Tout ce qui à l'hôpital se passait d'étrange ou d'obscène avait rapport au fameux Chinois.

Un jour on transféra un Oriental dans une chambre à quelques portes du service où était ma grand-mère. Les deux familles vinrent à faire connaissance : on fumait, on papotait ensemble à l'accueil. Comme les deux patients dormaient presque toute la journée, ces rencontres permettaient un échange d'apitoiements mais offraient aussi l'occasion de revenir au monde de la santé et du bien-être sans abandonner totalement l'univers des malades…

L'histoire pourtant demeurait maladroite, incomplète. Je raconterais le reste, dis-je, dès que Judy se sentirait mieux. Elle ne tarda pas à s'endormir mais moi, j'entendis toute la nuit la navette des vapeurs sur le fleuve chargés de coton et d'esclaves.

Encore deux jours de route. Puis nous voilà dans la cuisine de ma mère. La maison est calme. Parents et amis ont défilé toute la journée comme toujours lors de nos visites estivales. Cela fait du bien de revoir tout le monde mais les journées n'en finissent pas, sans compter la chaleur, et cela fait du bien aussi de voir le dernier visiteur repartir. Ma mère — Lizabeth —, ma femme et moi nous sommes à la cuisine. Minuit passé : le calme retrouvé. *Il y a cinq choses,* dit ma mère. *Il y a cinq choses dans ma vie que je n'oublierai jamais.* Le jour notamment où Faun dans l'ambulance a demandé pardon. Elle passe sous silence les trois autres mais elle nous parle, oui, du Chinois.

« Carl et moi étions à l'hôpital avec Maman. Il devait être aux environs de six heures parce que j'ai entendu le personnel passer récupérer les plateaux du dîner. La journée n'avait pas été brillante. Je ne sais toujours pas comment elle a pu tenir aussi longtemps. Ses bras n'étaient pas plus gros que ça... il ne restait plus rien du tout... Dieu sait comment elle a pu résister. Elle avait toussé toute la journée et ils craignaient toujours que ça ne tombe sur les poumons. Bref on n'avait pas trop le moral, on était là assis à écouter cet affreux raffut qui troublait son sommeil, lorsque, appuyé au bras de sa fille, l'autre entra. Elle était très gentille. On parlait toujours ensemble en salle d'accueil. Elle venait régulièrement voir son père. On voyait bien qu'elle était très inquiète et très affectée. Une jolie fille d'ailleurs. En fait, elle ne l'a pas mené plus loin que la porte. Je suppose qu'elle a entendu Maman dormir, plus nous deux qui ne faisions pas de bruit. Elle s'est donc contentée de faire coucou sur place et de chuchoter vite fait que son père rentrait chez lui le lendemain matin puis elle nous a souhaité bonne chance. Et alors le vieux Chinois a jeté un œil à l'intérieur de la chambre. Je pense qu'il voulait voir à quoi ressemblait Maman et donc il a passé la tête, il l'a regardée, puis les voilà repartis. C'est tout. Il s'était arrêté pour dire au revoir comme nous l'aurions fait avec eux si nous avions pu ramener Maman à la maison.

« Maman ne s'est pas réveillée. Elle est morte tôt le lendemain matin et quand je suis passée dans le couloir avec l'infirmière, j'ai regardé dans la chambre du Chinois : elle était vide.

« C'est bel et bien ce qui s'est produit. Je le sais : j'étais présente. Il a jeté un coup d'œil à l'intérieur et Maman ne s'est plus réveillée. Le nombre de fois que je me suis demandé comment elle avait pu savoir. Parce qu'elle savait. Oui, elle savait que ce Chinois venait la chercher, qu'un jour il se présenterait discrètement à sa porte et l'emmènerait. C'est le genre de choses qui arrivent dans la vie. J'en suis intimement persuadée. Des choses qui ne s'expliquent pas. Mais qui vous restent. Jamais je ne saurai comment Maman a pu deviner. Ce que je sais en revanche, c'est que ce genre de choses n'arrivent pas comme ça par hasard. Cinq fois dans ma vie j'ai vu, j'ai été témoin et je ne comprends pas mais je suis sûre et certaine que tout cela est prévu, plus ou moins, quelque part. »

J'ai sommeil mais cette histoire me remue autant que la première fois que je l'ai entendue. Ma mère l'a racontée et conçue comme je ne saurai, moi, jamais le faire. Et la forme de cette histoire est celle de la voix de ma mère. Dans le calme de la maison sa voix ressemble de plus en plus à celle de May. Elle ne gesticule pas, ne se lève pas pour jouer les inspirées du Seigneur comme May quand May se croit à l'église. Non, la main de ma mère pianote sur le bord de la table, ou alors, lentement, du bout des doigts, une main caresse, tire, masse le bout des doigts de l'autre. Pour elle l'histoire du Chinois permet d'entrevoir ce Dieu qui a déjà tout prévu et qui suit des voies mystérieuses. Pour moi le mystère du Chinois est silence, le silence de la mort, le passé, d'autres vies que la mienne.

Je regarde la navette des doigts clairs de ma mère dont les bouts s'entrecroisent. Je regarde ma femme glisser dans son calme à elle, distant et personnel. Le silence est encouragement, bénédiction, amen.

L’HISTOIRE DE LA PASTÈQUE

La première fois qu'il a vu quelqu'un se faire sectionner le bras, c'est devant l'Alimentation A & P de l'avenue de Homewood. À l'époque on empilait les pastèques devant le magasin, à l'angle du passage. À ce bout se trouvait également une grande vitrine où on collait des écriteaux annonçant les Soldes ou les Promotions de la Semaine et contre laquelle on posait, en appui sur le rebord intérieur, des panonceaux consacrés aux activités paroissiales et autres réclames. Ladite vitrine partait pratiquement au ras du sol et avait double hauteur d'homme si bien qu'il fallait de grandes échelles pour la nettoyer — au temps où on essayait de soigner le décor à Homewood. Les pastèques s'empilaient là sur trois ou quatre niveaux, les vertes toutes luisantes, les zébrées éternellement fraîches comme si le soleil ne pourrait jamais faire fondre ces pâles veines de glace marbrant leur peau. En général, au plus chaud de la journée, les poivrots restaient sous les arbres au bas de la voie ferrée dans le Bois des Clodos mais parfois il en sortait un, trop cuit ou trop sec, et il débarquait au milieu de la population occupée à faire les courses, on le voyait se balader dans le quartier, trébucher chanter essayer de récolter trois ou quatre sous jusqu'à ce qu'il en ait marre de tous ces gens qui le regardaient sans le voir ou le dévisageaient, de ces bigotes qui pestaient, de ces gamins qui riaient comme s'ils étaient au cirque ou qui le fixaient comme s'il était tombé d'une autre planète, et alors il s'installait quelque part à l'ombre dans un coin qui lui paraissait sympathique et où personne ne se soucierait davantage de lui que d'un chat ou d'un chien endormi sous le perron. Mais le poivrot qu'il a vu, le bras ne tenant plus que par des fils ensanglantés, si mal attaché au reste que l'homme au tablier blanc devait soutenir le poids de ce bras pour l'empêcher de venir rouler au milieu des pastèques, celui-là avait apparemment choisi de s'asseoir sur le tas empilé devant l'Alimentation.

Il avait dû par mégarde en bouger une sur le devant, à la base de la pile, et dès qu'elles s'étaient mises à rouler sous lui comme de grosses billes énormes il avait dû se jeter en arrière pour se rattraper, et elles de le propulser alors à travers la devanture. Mais allez donc marcher sur des billes... Oui, ç'avait dû être pareil. Il avait dû sentir ses jambes d'un seul coup se dérober sous lui, alors qu'à moitié endormi dans la chaleur de juillet il cuvait son picrate et donc en plein rêve probablement, à en ronfler d'aise, parti à mille lieues de Homewood. C'est comme si on te retirait le tapis de sous les pieds et tu sais que tu tombes, tu sais que tu vas te ramasser par terre, alors tu lances le bras en arrière pour te rattraper, mais ce que tu te ramasses finalement c'est la vitrine de l'A & P qui, en bloc, te descend sur l'épaule.

Au début ç'avait dû être facile. Eh oui, tu as le poing qui part tout de suite et troue le verre : comme dans du beurre, le bras n'a plus qu'à suivre. Ça ne saigne pas, ce n'est même pas écorché, ça passe dans le tunnel comme une fleur, tu ne sens rien, tu ne te rends même pas compte que t'es mal barré, surtout avec tout ce vin, tout ce soleil, et tu attends simplement que ces fichues pastèques elles arrêtent de faire les mariolles, pour que tes pieds et tes fesses puissent trouver le trottoir mais patatras ! voilà tout ce verre qui déboule comme un train de marchandises, qui referme *clac !* ses crocs d'alligator, et alors tu sais oui tu sais sans même regarder ni encore sentir la douleur tu sais qu'il t'a chopé et que ces cris derrière ton oreille ce n'est plus du verre qui tombe et qui se brise, c'est toi qui te réveilles et vois ton bras se tailler.

Oui, ç'avait dû être comme ça bien qu'il n'ait pas assisté à la scène et même si ce n'était pas lui. C'est ainsi qu'il l'a rêvé de longues années plus tard et ce rêve était le sien : ce trône de pastèques lui appartenait, vertes, zébrées, emmagasinant la chaleur du soleil. Et quand ce trône culbute et le culbute en même temps dans ce bain de vitre fraîche, même s'il avait déjà ouvert les yeux le bruit du verre sonne encore à son oreille comme des cymbales. Donc il l'a rêvé ainsi et souvent, sans crier gare, au beau milieu de la rue, il sentait le muscle de son épaule tressaillir, trembler, sauter pour échapper au couperet du rêve. Comme si son bras n'en avait plus pour longtemps, et le savait. Le spectacle incroyable de ce bras coupé recueilli au creux de son tablier blanc par l'homme accouru du magasin disait qu'un bras ne restait pas forcément à l'endroit où il avait poussé. Rien ne restait forcément tel qu'auparavant. Il se demandait si tout ce sang imbibant le tablier était du sang d'ivrogne ou bien si le blanc au crâne dégarni, agenouillé près du blessé, était sorti de la boutique avec du sang de cochon, de bœuf, d'agneau ou de poisson bigleux. L'homme cerné par les flots verts de toutes ces pastèques était-il un boucher, un habitué des viandes et des vêtements sanguinolents, un boucher tenant dans son giron le bras du poivrot pour éviter que les derniers fils se rompent. Parle-t-il tout bas à l'ivrogne, pour essayer de l'apaiser, ou bien est-ce le clochard qui rêve encore et chante dans son rêve une complainte au bras qu'il a perdu.

Aujourd'hui il n'y a plus d'A & P. On a effacé le sang sur le dallage et on n'empile plus de pastèques sur le trottoir. L'une des grandes personnes lui a dit plus tard qu'un garrot avait sauvé le poivrot. Quelqu'un dans la foule avait su réagir : Le bras, c'est pas la peine. Pas la peine de vouloir le lui recoller. Puis l'homme avait déchiré le tablier en bandelettes et noué un garrot autour du moignon pour arrêter l'hémorragie, ce qui avait sauvé le blessé. Et là il a eu envie de demander : Et le bras, quelqu'un l'a-t-il sauvé, mais c'était idiot comme question à croire qu'il voulait faire son petit malin déjà quand il se la posait à lui-même, et du coup il a préféré imaginer : la façon dont le seul et unique employé noir de l'Alimentation, M. Norris, qui était toujours assis deux rangs devant eux à l'église de Homewood, l'Église Épiscopalienne-Méthodiste-Africaine-de-Sion, avait poussé, par la grande double porte du magasin, son seau en fer monté sur roulettes. Les pastèques avaient glissé boulé partout. Les unes toutes défoncées avaient pâti des coups de pieds des curieux attirés par le massacre : d'autres tombées du trottoir se retrouvaient, éclatées, dans le caniveau de l'avenue. Certaines des plus grosses, profitant de la cohue autour du blessé, s'étaient fait la malle. Mais il n'entrait pas dans les attributions de M. Norris de les compter, pas plus, avait-il déclaré au responsable des fruits et légumes, que de courir partout à quatre pattes dans l'avenue récupérer des pastèques, non, ça n'entrait pas dans ses attributions, avait répété M. Norris avant de fredonner un cantique et d'asperger d'eau savonneuse toutes ces taches de sang. M. Norris avait érigé une barrière de pastèques, rectangle impeccable devant la vitrine brisée, afin de tenir à l'écart les imbéciles. Car imbécile, il aurait vraiment fallu l'être, pour vouloir s'approcher de ces longues dents de verre déchiquetées qui ne tenaient plus que par un fil, des dents prêtes à mordre pour peu qu'on se mette à respirer trop fort. Oui, M. Norris avait gardé ses distances et prudemment balayé presque tout le verre, désormais repoussé dans un coin de son enclos de pastèques. Puis il avait passé la serpillière. Une fois les dalles sèches, il mettrait de la sciure comme celle qu'on répandait derrière l'étal aux poissons. Il y avait des traces de sang et des traînées de pastèques à masquer. Il promenait la lourde serpillière trempée d'eau savonneuse et insistait aux endroit les plus tachés.

Oui, plutôt que de poser une question à laquelle personne ne répondrait et qui hérisserait tout le monde, il a imaginé : M. Norris prenant le temps de bien nettoyer le trottoir. Même si quatre-vingt-dix-neuf pour cent de la clientèle était noire, M. Norris était le seul Noir à travailler à l'A & P, ce qui faisait de lui un être à part, un objet de curiosité. M. Norris avait un code de conduite personnel. Que tout le monde connaissait et qui manifestement lui dictait sa lenteur, son originalité. À voir ses mains, ses mines ou les poses qu'il prenait, on aurait dit un chef d'orchestre. Sa façon d'être était sans rapport avec ses tâches quotidiennes : épousseter les étagères, nettoyer par terre ou sortir les détritus — sauf si on comprenait le code, car alors, M. Norris ayant son code à lui, tous ses actes s'expliquaient et il suffisait de le regarder pour en apprendre plus qu'on ne l'aurait fait en posant des questions idiotes auxquelles personne ne répondrait.

On n'aurait pas laissé le bras sur place en attendant que M. Norris le balaie. Ils n'auraient pas eu cette sottise et évidemment ils l'auraient emporté avec eux où qu'ils aient emmené le poivrot, où qu'ils aient emporté le garrot, le moignon et les bandelettes de tablier ensanglantées.

Inutile de chercher à le recoller. Laissez donc ce fichu bras et arrêtons l'hémorragie.

Il n'assistait pas à la scène quand le seul à avoir su réagir avait crié cela. Il n'avait pas vu comment on bandait un moignon, comment on installait une clé pour pouvoir stopper le sang comme on ferme l'eau d'un robinet. Un *garrot,* avait dit la raconteuse. Il ne connaissait pas le mot mais cela lui avait d'abord évoqué l'inverse d'un galop, et dans sa tête il s'était dit : Oui, le sang cesserait de galoper. Jusqu'au jour où elle lui a expliqué que cela n'avait rien à voir avec un cheval, qu'on apprenait à poser des garrots en secourisme, à l'armée et partout ailleurs où on se montre ce genre de choses. Puis elle a dit : Berk ! Moi je pourrais pas. Je ne pourrais pas touiller là-dedans, les mains comme ça dans la charpie. On serait obligé de m'évacuer si je m'en approchais trop. Moi, je ne serais plus bonne à rien. Mais Dieu merci il y avait là quelqu'un sachant réagir, quelqu'un ayant l'estomac bien accroché pour faire le nécessaire.

Il écoute et soudain il entend May prononcer ces paroles et il se rappelle : c'était donc elle. C'est May qui avait une première fois raconté l'histoire de cet accident et qui lui a dit par la suite : Non, le bonhomme n'est pas mort ce jour-là. Il a perdu son bras mais il vit encore, il est retourné dans le Bois des Clodos et il boit autant de vin avec un seul bras qu'il en buvait avec les deux.

Et cette histoire de bras coupé avait rappelé à la raconteuse une autre histoire de pastèques. Qu'il était une fois un vieux bonhomme, Isaac, marié à une vieille, Rébecca. C'était aux temps de l'esclavage. Y a très très longtemps. Plus personne s'intéresse aujourd'hui à ç't'époque-là. Plus personne s'en rappelle sauf des vieilles biques comme moi pasque j'étais là quand Pépé l'a contée et j'ai jamais été très douée pour oublier, tout au moins ce qui m'aurait plu d'oublier. J'étais donc présente ce jour-là et il m'a conté comment ça se passait à l'époque y a belle lurette. Isaac et Rébecca je disais donc et ils étaient déjà vieux quand ç'a commencé. Vieux déjà avant ç't temps-là y a très très longtemps. Que c'était l'Afrique. Ou la Georgie ou un autre endroit que de toute façon c'est pareil. Un nègre est un nègre partout qu'il se trouve. Si vous voyez ce que je veux dire. Et voilà quatre-vingt-dix-neuf ans que ce vieux et cette vieille ils vivent ensemble et ils sont fatigués mais ils ont pas d'enfant pour soutenir leurs vieilles têtes. Oui, sans enfants, qu'ils sont. Notre vieille elle est sèche comme un puits tari elle l'a toujours été et apparemment elle va rester comme ça jusqu'à la fin des temps. Ils étaient donc bien vieux et bien tristes. Ils avaient eu de bons moments ensemble, tout le monde de temps en temps a de bons moments, et ils étaient gentils l'un avec l'autre, meilleurs l'un envers l'autre qu'on l'est le plus souvent de nos jours. Lui il tapotait encore les petites touffes crépues qui pointaient sous le fichu. Et elle quand il rentrait des champs, le soir, elle lui massait ç't'épaule qui l'enquiquinait depuis cinquante ans. Oui ils étaient gentils l'un avec l'autre. Meilleurs que la plupart. Ils faisaient ce qu'ils pouvaient. Mais on est jamais trop jeune ni trop vieux pour recevoir une meurtrissure. Et y en avait une qui ne les quittait jamais, jour après jour et à longueur de journée dans leur toute petite case au fond des bois. Ils aimaient Dieu et z'avaient pas peur de mourir. Non, ils avaient pas peur de ça comme certains pécheurs de ma connaissance. Et c'étaient pas non plus des ingrats. Des ingrats, je pourrais vous en citer mais ce matin je fais pas de sermon. Je suis en train de vous raconter l'histoire de deux vieux qu'avaient jamais eu de bébé et c'était ça leur meurtrissure et c'est de là que venait cette tristesse dans leur cœur.

Vous avez déjà entendu parler de la Foi ? J'ai dit que ce matin j'étais pas à l'église mais vous avez déjà entendu ce mot-là, non ? Je vous demande pas si vous le comprenez. Comment qu'il faut le comprendre c'est moi qui vais vous dire. Dites-moi seulement si vous avez entendu le mot. La Foi. Je parle de la Foi. Et si vous savez pas de quoi je parle vous avez qu'à écouter. Pensez à ces deux très très vieux dans leur toute petite case au fond des bois, tous deux trop vieux maintenant pour rouscailler. Ils avaient été en Égypte chez Pharaon quand tous les jours de leur sainte vie ç'avait été que fardeaux et pain amer. Mais ils avaient la Foi. Vous avez entendu parler du grain de sénevé ? Là c'est une autre histoire, pour un autre jour. Mais songez ! tout vieux qu'ils étaient ça les empêchait pas de prier et d'espérer qu'un jour un enfant leur serait donné. Ah oui ! Le vieil Isaac et la vieille Rébecca, ils avaient encore la foi. Ils demandaient au Seigneur un enfant pour couronner leur vie commune et ils gardaient la Foi en leur cœur qu'un jour Il voudrait bien.

Or le vieil Isaac avait un maître qui cultivait les pastèques. Et personne à des lieues à la ronde savait comme le père Isaac toquer les pastèques et dire quand elles étaient parfaites prêtes à manger. Il tape et la Pastèque, madame la Pastèque, elle répond. Quand le père Isaac frappe à la porte, elle, elle raconte toute sa vie à ce doigt bourru. Coucou ! Comment allez-vous ? Et la Pastèque, elle répond : Eh ! vous êtes un jour trop tôt ! Je suis pas encore prête, Père Isaac. Me faut encore vingt-quatre heures. Allez plus loin dans le carré vous trouver quelqu'un d'autre aujourd'hui. Revenez demain, je serai à point, mon ami.

C'était en Afrique. Y a très très longtemps. Là où les gens causent aux bêtes exactement comme je suis là assise à vous causer. Et c'est pas la peine de sourire. Pas la peine de ricaner, de siffler entre vos dents, de lever les sourcils et de parler de ce que vous savez pas. La vieille qui vous cause est pas plus bête que vous. Comme on dit : *Qui y était pas sait pas.* Et moi j'étais assise sur le genou du Grand-Père à l'écouter parler du temps de l'esclavage et des nègres qui causaient aux arbres et aux pierres et des nègres qui volaient comme des oiseaux. Et i'y était, lui. Alors il sait. Et donc moi aussi si on le prend par là. J'y étais. Grâce au Grand-Père. J'ai entendu le vieil Isaac. *Toc, toc, toc-toc.* Il est là tout seul dans le carré aux pastèques et le maître il dit : Va m'en chercher une bien grosse. J'ai de la visite, Isaac. Ma sœur et son nigaud de mari. Alors va me chercher la plus grosse, la plus juteuse. Je veux pas qu'il ait le plaisir de raconter qu'à ma table on lui sert pas toujours ce qu'y a de meilleur. Alors le père Isaac, tout cassé qu'il est, il est parti là-bas dans les pastèques, à toquer, à écouter, à palper la peau. Sauf qu'à ç't'heure il fait beaucoup plus chaud. Même pour ces nègres d'autrefois en Georgie il fait chaud. Isaac est si vieux si sec si dur qu'il transpire plus beaucoup mais ce jour-là dans le carré aux pastèques ça lui dégouline sur la couenne comme s'il pleuvait. Il entend Rébecca dans la cuisine : 'Zaac, 'Zaac, res' pas déhors trop longtemps ! Et lui, de chanter en retour : 'Pa'tout 'l a d'la sueu' à lui cou'i'/ Mais c'nègue-là 'l'est trop vieux pou' mou'i'. Puis son œil en repère une. Une belle longue mince. Un peu comme ceux qu'on voit par chez nous avec ce qu'on nomme une tête en pain de sucre. Allongée pareil. Il s'approche, s'accroupit au milieu de la végétation et de son doigt magique lui donne un bon coup sec.

Et voilà notre pastèque qui s'ouvre en deux tout net. Qu'elle se fend en plein milieu comme tranchée d'un coup de machette. Et voilà qu'à l'intérieur y a un petit bébé. Un petit garçon aux yeux marron, aux jambes potelées, avec des fossettes sur ses petits genoux. Bien calé là-dedans impeccable comme deux fèves dans leur cosse. Dame oui. Un petit drôle bien vivant caché là-dedans et qui souriait en retour à Isaac, attrapait ce doigt bourru et l'y agrippait comme un tétin.

Et là le père Isaac, c'est plus du tout la même chanson qu'il chante. Le petit au creux de ses bras, il traverse le champ au pas de course et il chante si joliment que tous les animaux ils s'écartent sur son passage. Serpents à sonnettes ours alligators. C'était pas le jour où embêter le père Isaac. Ils entendaient sa chanson, voyaient la flamme dans ses yeux et tout le monde de se garer.

Et voilà la vieille Rébecca qui sort à son tour, la jupe tourbillonnante, le tablier claquant au vent. Que ça lui a ôté cinquante ans d'âge ces vingt-cinq pas entre l'arrière de leur toute petite case et les bras de son mari. Puis ils sont là tous les deux à tenir le bébé. Ils le tiennent tous les deux mais ni l'un ni l'autre qui le touche. Il est là en suspens entre ces deux vieux tout heureux. Merci Seigneur. Merci Jésus. Loué soit Son nom. Ils étaient si heureux qu'on aurait pu bâtir une église sur place direct au-dessus de leurs têtes. Une de ces grandes églises de blancs, une de ces églises de luxe où vous allez vous autres à ç't'heure. Et ils étaient si heureux qu'ils auraient pu la faire swinguer rien qu'à eux deux. Oui faire swinguer ç't'église et vibrer de la flamme pendant des jours entiers rien que ces deux vieux tout heureux. Et ce bébé qu'ils aimaient tellement qu'ils en avaient même pas besoin de le tenir. Il était là en suspens sur un petit coussin d'air pendant qu'ils louaient le Seigneur.

Et c'est comme ça que ça s'est passé. Isaac a trouvé ce petit bébé dans une pastèque et Rébecca et lui ont eu ç't' enfant pour lequel tous les jours ils avaient prié. C'est la Foi qui leur avait apporté le minot. La Foi et la volonté divine. Mais de nos jours Il pourrait pas répéter pareille bénédiction. Vous autres, vous êtes pas prêts. Vous autres, vous croyez à rien. Si un vieux rapporte un drôle à la maison la première chose que vous faites c'est appeler la police ou commencer à cancaner et à chercher une demoiselle sous le lit. Vous autres vous croyez rien. Mais l'Esprit suit des voies mystérieuses pour l'avènement de ses prodiges. Dame oui. Aux temps lointains de l'Afrique et de l'esclavage y avait plus de miracles en un jour que vous en verrez durant votre vie. Vous êtes là à sauter de joie, à pousser des oh ! et des ah ! parce qu'y a des blancs sur la lune et que vous avez des chemises qui se repassent pas. Zut ! Certaines des choses que le Grand-Père voyait tous les jours ont de quoi couper le sifflet. Et encore je parle là de choses de la vie quotidienne. Causer aux fleurs et aux pierres et les entendre répondre. Vous autres vous croyez à rien de tout ça. Vous êtes bien trop malins, bien trop grands pour tout ça. Mais Isaac et Rébecca eux ils ont attendu. Ils ont gardé la foi et voilà qu'un fils est venu illuminer leurs derniers jours en cette Vallée des Ombres.

Bon je pourrais dire c'est tout, je pourrais terminer là : C'est comme ça et pas autrement/Le diable m'emporte si je mens ! Finir en beauté comme ça, sur une pirouette, comme à la fin des contes autrefois. Mais ça s'arrête pas là. Y a le restant qui va avec, alors je vais tout conter.

Il avait entendu le restant et cela disait comment l'Esprit avait repris le petit. Le restant c'était les pleurs et les gémissements des deux vieux, Isaac et Rébecca. Le restant c'était le désespoir du cœur brisé, le vide béant de leur vie, un trou dans leur existence encore plus grand que la meurtrissure qui avait été la leur avant l'avènement de l'enfant. Il écoutait. Jamais encore il n'avait entendu une histoire aussi cruelle. Il était terrifié. Lui aussi c'était un petit garçon. Et qui lui disait qu'on ne l'avait pas trouvé lui-même dans une pastèque. Qui lui disait qu'il ne risquait pas de se faire reprendre le lendemain. Est-ce que les adultes le pleureraient, est-ce que comme Isaac et Rébecca ils ne quitteraient plus leur lit et attendraient la mort.

May promenait les yeux autour de la pièce et si personne n'avait croisé son regard tout le monde l'avait entendue conter la suite.

Et où étaient donc passées toutes ces prières ? Où étaient passés tous ces alléluias et Le Seigneur soit Loué dans cette toute petite case au fond des bois ? Eh bien, moi je vais vous dire. Y en avait plus. Voilà où c'était passé. Y en

LES CHANTS DE REBA LOVE JACKSON

La première chanson est pour Maman

La première chanson que je vais chanter est pour ma maman. Ma première chanson, je l'ai toujours dédiée à Maman et tant que je vivrai il en sera toujours ainsi. Voilà vingt-cinq ans que je porte la rose blanche en souvenir de Maman. Certains d'entre vous savent de quoi je parle. Certains d'entre vous en ont mis une blanche en signe de deuil cette année pour la première fois le jour de la Fête des Mères et d'autres qui s'en accrochent une rouge sur la poitrine vont en porter une blanche la prochaine fois et donc ma première chanson a toujours été pour Maman et le sera toujours aussi longtemps que le bon Dieu me donnera la force de chanter Ses louanges. Parce que le Gospel c'est ça. Chanter Ses louanges, louer le nom du Seigneur. Et donc je vais chanter un chant de louanges et le dédier à celle qui m'a le plus aimée ici-bas. Celle que j'ai le plus aimée et que j'aime encore le plus. Quel Cœur Ami. Dame oui, Seigneur. Quel Cœur Ami Nous Avons.

Quand le téléphone a sonné avec tout le monde qui parlait et mille autres choses personne a pris la peine de répondre comme ça arrive souvent quand on est occupé et tout le monde compte sur l'autre pour décrocher mais ça continue à sonner et ça sonnerait encore si y avait pas eu juste à côté de moi une serviette en papier qui apparemment avait pas encore servi alors je me suis essuyé la bouche et les doigts que j'avais tout gras et j'ai décroché.

Allô, j'écoute, vous êtes ici au domicile de Miss Reba Love Jackson et j'ai dit le nom tout entier je ne sais pas pourquoi je l'ai dit comme ça dans l'appareil mais je n'ai pas eu d'autre réponse qu'une espèce de sonnerie à l'autre bout du fil.

Allô, j'écoute je répète vous êtes chez Miss Reba Love Jackson.

Et là y a eu cette voix un peu grésillante qui paraissait lointaine comme quand c'est l'interurbain. J'ai tout de suite compris qu'y avait quelque chose qui clochait. Rien qu'à la voix. Un malheureux qui parlait comme s'il avait eu du mal à se retenir de pleurer imaginez un peu mon embarras. Et j'étais toujours la seule à avoir remarqué le téléphone. Autour de moi ça mangeait ça causait, avec quelqu'un au piano qui plaquait des accords, résultat y avait que moi à m'être souciée du téléphone et donc je suis là toute seule dans mon coin et le pauvre devait croire que c'était moi Reba Love parce qu'il a dit son nom il commence à m'exposer son problème et du coup je me suis retrouvée plus que gênée parce que je voulais pas lui couper la parole mais j'avais pas non plus envie d'entendre ce qui me regardait pas mais bon comment faire autrement ?

Pour finir j'ai été obligée de lui dire attendez une seconde conservez un instant monsieur puis j'ai posé le combiné et suis allée chercher Reba Love Jackson. Je suis restée à côté d'elle pendant qu'elle écoutait. Et du coup c'était comme si j'avais mieux compris. Devant Reba Love qui écoutait. J'ai vu de la tristesse soudain dans ses yeux de chrétienne cependant qu'elle secouait la tête et lui je l'entendais et le comprenais mieux que tout à l'heure quand c'était moi à l'appareil. Reba Love hochait la tête comme elle le fait parfois quand elle chante mais là elle disait rien.

Puis elle a poussé un soupir et s'est mise à parler au téléphone : « Mais certainement. C'est bien le minimum. *I Stood on the Bank of Jordan/J'étais sur la rive du Jourdain.* Absolument. »

Alors de sa main libre elle couvre le combiné et me demande d'inviter tout le monde à faire silence. Obligée d'aller sur place directement auprès de certains. Bientôt y a plus un bruit dans l'appartement de Reba Love on se serait cru à l'église un lundi. La main toujours plaquée sur l'appareil elle dit : « C'est mon vieil ami notre frère Harris de Cleveland, il vient de perdre sa maman et il a besoin que je chante pour lui. »

Et là plus un bruit ni aile de poulet à craquer sous la dent ni glaçons à se balader dans un Coca-Cola. Elle a levé le combiné comme si ç'avait été un micro et jamais jamais mon enfant j'ai entendu chanter comme ça. Ni Mahalia ni Bessie Griffin ni Sallie Martin. Aucune d'entre elles, et pourtant je les ai toutes entendues, non, pas une qui aurait pu arriver à la cheville de Reba Love Jackson ce soir-là.

Au début elle a chanté seule. La première strophe toute seule et le refrain aussi, en solo. Puis la deuxième, et là elle s'est arrêtée, elle a promené les yeux autour d'elle avant de chuchoter dans l'appareil : « J'ai quelques amies ici autour de moi et elles vont m'aider à chanter », tout ça murmuré dans la foulée sans qu'elle saute la moindre note, comme si ça avait été dans les paroles et crois-moi quand notre tour est venu d'y aller en chœur nous avons répondu présentes, ma sœur, ça oui, en plus notre monumentale Hattie Simpson s'est installée au piano et c'est moi qui te le dis, à Cleveland on avait jamais entendu rien de pareil.

Pour Willie l'Aveugle qui m'a appris à chanter

L'aveugle est couché par terre, ivre et puant, les pieds jusqu'au milieu du trottoir, et il faut faire attention si on ne veut pas venir buter dessus. Pour un peu Precious Pearl Jackson s'écriait : Regarde, petite, regarde le genre de bonhomme qu'est ton père, parce qu'elle sait que quelque part dans une ville ou une autre le père de sa fille, ce bon à rien, est en train de cuver son vin, dehors sans doute comme ce clochard à présent qu'on est l'été, à ronfler comme lui et comme lui à visage découvert, toute honte bue. En réalité elle n'a rien dit mais, resserrant son étreinte sur la main de sa fille, elle lui fait enjamber en vitesse les chaussures de l'aveugle, des brodequins à revers, tout crasseux.

« Maman, tu me fais mal.

— Tu cries avant d'avoir mal, ma fille. Allez avance au lieu de traîner. »

Precious Jackson rêve d'autres rues. Des rues pavées d'or et de joyaux étincelants. Des rues pures comme neige où elle peut déambuler habillée d'une tenue blanche comme lait dont le bas touche le pavage mais n'en est pas souillé. Si elle en avait la force, elle courrait de sa porte à celle de l'église. Libre aux gens de la prendre pour une folle mais si Dieu lui en donnait le pouvoir elle descendrait

Decatour au pas de course, traverserait Idlewild et remonterait Frankstown jusqu'au bout de Homewood tout là-bas à fond de train et à peine si ses longs pieds toucheraient terre, sa fille serrée contre sa poitrine, pour ne reprendre son souffle qu'une fois arrivée à bon port avec la petite à l'intérieur du Temple du Royaume-Sanctifié-du-Saint-Christ. Oui, si elle le pouvait, elle courrait d'un bout à l'autre et elle aurait l'impression de voler. Leurs bouches n'auraient pas à connaître le goût de cette ville pécheresse où l'avaient conduite les pièges du Malin, ni à rien avaler de cet air corrompu. Elle se demande l'impression qu'elle aurait à voler plus près du soleil. À le sentir brûler sur son dos ses vêtements miteux, puis à son tour voilà la peau partie et toute la chair qui tombe comme de vieux habits jusqu'à ce que l'âme s'élève nue aux côtés du Père.

Precious Jackson baisse les yeux sur le trottoir gris. Elle est grande, noire, maigre comme un clou. Ses cheveux coupés ras sont plaqués sur le crâne par une résille noire. Des yeux ronds exorbités, avides et pleins, qui brûlent comme ceux des chrétiens insomniaques. Un coup de vent pousse les détritus le long du caniveau et fait tourbillonner les journaux contre les rideaux de fer des magasins. Des cartons débordant d'ordures jalonnent le trottoir. Des bouts de verre brillent au soleil. La chaussette verte et sale de quelqu'un avance sur le trottoir, un petit peu à chaque fois. Elle connaît cet aveugle. Il était chanteur de blues. Il chantait la musique du Diable dans les bars du quartier. Un samedi soir on l'a retrouvé à l'intérieur du Temple. À genoux, paraît-il. En train de prier en langues, dit-on. Elle se souvient de lui agenouillé devant la chaire au banc du repentir. Recroquevillé comme quelqu'un qui reçoit une raclée. Quand il s'est relevé, elle s'attendait à voir des vêtements déchirés, ensanglantés, des marques de fouet. Et quand il s'est lancé dans sa repentance, elle a eu l'impression de lire un livre qu'elle avait juré devant Dieu de ne jamais ouvrir. L'aveugle a tout raconté. Elle se disait que les murs chaulés du Temple allaient se mettre à fumer avant même qu'il en ait terminé. Tant d'épreuves et de traquenards. En écoutant l'aveugle confesser ses péchés, elle s'est rendu compte combien son Dieu était bon envers elle. Combien miséricordieux le dur et droit chemin où Il la conduisait. Puis cette bouche du Malin a entonné de sa voix des louanges au Seigneur. De leurs *amen* les « saintes » paroissiennes encourageaient le repenti. Elles sont entrées en transe. Lui ont tendu la main de la Communauté. Et l'aveugle de jurer par la grâce de Dieu qu'il ne chanterait plus jamais le blues. Il a promis qu'il n'utiliserait plus jamais sa voix qu'en hommage à la bonté divine.

Mais le revoilà dans la rue à chanter de nouveau des horreurs. C'est lui là vautré sur le trottoir soûl comme le péché. Elle espère que Dieu lui prendra sa voix comme Il lui a pris ses yeux.

Au prochain carrefour le Temple sera visible. Avec cette porte rouge comme un phare. Les yeux de Precious Pearl ne s'égareront pas du côté de la ville déchue. Elle envie celles qui fréquentent de hautes églises, des églises dont le clocher se voit de loin. Être soumise et humble, n'en pas demander plus que ce que Dieu juge bon d'accorder, louer les souffrances parce que c'est un signe de Sa glorieuse volonté, tout cela elle le comprend, elle le vit. N'empêche qu'elle aimerait L'adorer dans une cathédrale aux orgues puissantes, dont le toit touche le paradis.

« Mais avance donc. Qu'est-ce que tu as à lambiner comme ça ce matin ? »

Les longs pieds de Precious Jackson, chaussés de talons plats, claquent sur le trottoir. Sa fille trottine, tâche de rester à hauteur.

« Aimes-tu Jésus-Christ ?

— Oui, Maman.

— L'aimes-tu plus que toi-même ?

— Oui, Maman. »

Mots essoufflés cependant que mère et fille parcourent à la hâte les rues vides du dimanche matin. Un dimanche au Temple l'aveugle a chanté *Nearer My God to Thee/Plus près de Toi mon Dieu.* Precious Jackson a pleuré. Enlaçant les épaules raides et maigres de sa petite, jusqu'à la fin du cantique elle a pleuré.

Le ciel forme une voûte ininterrompue de bleu. Serait-ce un péché de peindre de la même couleur le plafond de son église à elle. La porte, comme celle du Temple du Royaume-Sanctifié-du-Saint-Christ serait rouge comme le sang du martyre de Jésus.

Du côté de la voie ferrée un train siffle. Deux fois. Et Precious Jackson entend le fracas des wagons bringuebalant par-derrière, grincements horripilants, puis le bruit s'estompe pour devenir, juste avant que le train disparaisse, doux et blanc comme de la laine vierge. Brusquement elle s'arrête et sa fille vient buter contre ses jambes. Precious Pearl Jackson perd un instant l'équilibre. Elle donne une tape en bas, à la hauteur de la tête de la petite, une tête dure plaquée de fines tresses minces comme des cicatrices. Peut-être que c'est la fin du monde. Qu'il n'y a plus personne. À part l'aveugle chanteur de blues, la petite et elle-même, oubliés, abandonnés. Dieu nettoie la ville et emmène tous les justes en Son sein dans des trains d'argent resplendissants. Peut-être a-t-elle entendu le dernier convoi de bienheureux qui décollent vers le soleil à bord d'un magnifique oiseau d'acier.

Pour les prêches d'antan

En ce temps-là, oui, y avait des prêches dignes de ce nom. On était pas là à se pavaner en tunique de gala, à rouler les hanches et à sauter partout comme si on se prenait pour 'Retha Franklin, James Brown ou je ne sais quelle superstar du rock'n'roll avec tout l'ectronique, guitare, piano, trompettes mais qui sort pas un seul mot qui te touche l'âme. Moi je parle de ce qu'on appelle un prêche, un vrai. Et que çui qui le fait il est passé lui-même par-là. Et quand il appelle un témoin du Seigneur, les repentis accourent de partout et se mettent à danser dans la nef. Ces prêcheurs d'antan peuvent faire exploser la messe. Ouais, exploser, tu m'entends. Et question de savoir parler, ça ils savaient. Dame oui. Épistémolo*gie* Cosmolo*gie* Ontolo*gie* Deutérono*mie.* Ils avaient de l'instruction, ils connaissaient les mots. Ils tenaient des meetings religieux — des *revivals* comme on dit aujourd'hui — là-bas au Stade de la Légion, où les Blancs jouaient au baseball. Les gens y venaient en camionnette et en charrette pleines de chaises pour pouvoir s'asseoir sur le pourtour du terrain parce que tous les jours les gradins étaient pris d'assaut par tous ceux qui voulaient entendre les prêcheurs. Qui eux savaient prêcher. Ce qu'on appelle des témoignages de foi. Ces hommes-là, ils connaissaient le monde. Ils connaissaient le monde et ils connaissaient le Verbe, c'est pour ça que c'était authentique.

Je pourrais vous en citer. Je les vois encore aujourd'hui comme s'ils étaient devant moi. Je dis pas qu'y avait pas de leur part de la mise en scène. Obligés. Fallait attirer le monde avant d'administrer le message, alors ils y allaient, dame oui, un vrai numéro des fois. Mais c'était simplement pour attirer l'attention du public. C'est facile à comprendre. Ils savaient attirer le monde mais avec eux ça s'arrêtait pas là. Une fois que ces frères-là s'emparaient de toi, ils te secouaient, ils te bringuebalaient dans tous les sens comme on voit ces petits chiens tenaces se saisir d'un rat. Et quand on sort de là on a l'impression d'avoir reçu une de ces dérouillées comme si à coups de fouet on t'avait enlevé tout le noir, qu'on t'avait retournée comme une veste et désormais rien sera plus comme avant.

Y en avait un. Le Prophète Thompson de Talledega. On avait dressé un genre d'estrade à un bout du terrain de baseball et on voyait défiler les prêcheurs et les chanteurs. À tour de rôle. Mais le Prophète Thompson, lui, c'est pas le genre à avancer à pied comme ça jusqu'à l'estrade. Non, ça c'est trop facile. Quand vient son tour, lui c'est à dos de mulet qu'il arrive. Un grand, tout gris, de la campagne. Dame oui. Et là je vous dis pas les hurlements. Le Prophète, il a pas encore dit un mot et déjà on en évacue des tribunes. On pouvait penser que tous ces cris c'était pour le Prophète mais nous autres de la campagne on savait tous que la transe de ces paroissiens, c'était à cause du mulet aux oreilles ourlées. Que voulez-vous... Et le Prophète il sait comment se tenir sur un mulet et comment en descendre et l'attacher, qu'il s'en aille pas. À entendre de loin tout ce tumulte et tous ces hurlements, on aurait cru qu'y avait un incendie et des gens en train de griller. L'air en était tout gauchi, et ce tintamarre sur les bancs de bois où ça tapait des pieds, puis ceux qui étaient tout autour sur le terrain, les voilà qui se lèvent de leurs chaises pliantes et ils sont debout à taper sur ces chaises de pompes funèbres comme si c'étaient des tambourins. Le Prophète, lui, il a pas encore ouvert la bouche. L'est simplement arrivé à dos de mulet.

Incroyable. Il aurait pu repartir comme ça sur son mulet et tout le monde aurait été content mais ces gars-là c'était des prêcheurs, des vrais. Ils savaient s'y prendre. Le mulet, c'était rien qu'une astuce pour capter l'attention. Dame oui. Les gens ils connaissaient les mulets, ils connaissaient la campagne et le Prophète il les a bien laissés en profiter. Dame oui. Une fois sur l'estrade il a su quoi dire.

« Il m'a amené jusqu'ici depuis la terre rouge de Talledega en Alabama. Alors je sais qu'il pouvait me porter encore sur quelques pas jusqu'à l'autel. »

Et il lui suffisait de rester là debout pendant que les gens sautaient, dansaient et que leurs vêtements tombaient comme s'il en pleuvait. Oui, de rester juché là-haut jusqu'à ce qu'il soit prêt à reprendre la parole et alors c'est comme le tonnerre dans le micro et s'il avait dit *Terre ouvre-toi et laisse les esprits des morts louer le Seigneur eux aussi* personne aurait été surpris d'entendre des voix monter de la pelouse. Et voilà ce qu'il a dit : « Certains d'entre vous savent de quoi je parle. Certains d'entre vous savent qui m'a fait sortir du désert et m'a amené ici sur ce podium au milieu d'une plaine obscure. Oui Seigneur. Certains d'entre vous savent que je parle de Dieu, mais d'autres pensent encore à Martin, mon mulet, et il est gentil, gentil et fidèle, mais ce n'est qu'un mulet. »

Et là maintenant tu vois il les tient. Ils ont mordu. Ils ne savent pas s'ils doivent se sauver ou rester sans bouger. S'il est en train de leur parler ou de parler d'eux. Et alors il commence à prêcher.

Un vrai prêche. Et le Prophète Thompson n'est pas le seul. Je pourrais en citer plein. J'ai vu des femmes jeter par terre leur manteau de vison sous les pas d'un prêcheur. J'ai vu la nef tapissée de fourrures tout du long. La première fois que j'ai vu quelqu'un jouer du piano avec les pieds, c'était là-bas. Autrefois, du temps de ces rassemblements au Stade de la Légion, quand ça prêchait et que ça chantait, comme personne sait plus aujourd'hui. Je me rappelle avoir vu Reba Love Jackson et sa maman Precious Pearl Jackson là-bas tous les ans avant que sa maman l'emmène au Nord. Je me rappelle Reba Love dans sa petite robe de bébé assise fesses nues dans l'herbe pendant que tout le monde là-bas chantait, oui elle et les autres petits bébés fesses nues et maintenant j'en vois dans le quartier, que c'est le crâne à présent qu'ils ont de plus en plus nu. On dit que Reba Love va revenir au printemps. Ce sera quelque chose. J'ai entendu dire que sa maman était morte à présent. On dit que Precious Pearl a laissé le Diable ici-bas et qu'elle est morte en chrétienne au terme d'une vie exemplaire. Je la connaissais bien et je vais vous dire ce que je pense. Reba Love Jackson quand elle va revenir, elle va chercher sa maman. Et vous savez quoi. Si Dieu le veut elle la trouvera parce qu'ici c'est chez elle. C'est ici que tout a commencé. Dame oui elle la retrouvera. Ici même et alors elle se mettra à chanter. Oui, à chanter. Et par la grâce du Seigneur je serai encore là pour voir ça. Pour entendre chanter comme on faisait dans le temps oui encore une fois avant de crever.

Pour quelqu'un d'autre

À travers les vitres du car Reba Love essaie d'imaginer l'impression que cela ferait d'être quelqu'un d'autre. Voilà seulement quelques minutes elle a entendu l'un des chanteurs dire : *New Jersey*, et le nom d'une ville dans ce même État où quelqu'un habite, donc il fait nuit et ils sont en train de traverser le New Jersey et elle sait qu'ils coucheront dans un hôtel de Newark parce que le manager connaît quelqu'un là-bas qui les laissera à prix réduit s'entasser à quatre ou cinq par chambre. Elle sait que de nombreuses chorales de gospel s'y arrêtent. Elle a souvent entendu citer le nom de cet hôtel par les groupes en tournée. Mais rien de l'autre côté de la vitre ne l'aide à être quelqu'un d'autre. Tout ce à quoi elle pense, tous les mots, toutes les voix qui lui viennent ne parlent qu'à Reba Love Jackson, lui parlent à elle et à celle qu'elle est ou alors elles se refusent à parler. Elle essaie d'imaginer une personne qu'elle ne connaît pas. L'un des hommes qu'elle ne peut s'empêcher de voir quand elle chante. Un homme présent lors d'un concert ou dans une église, sur qui elle n'a jamais encore posé les yeux et ne les posera sans doute plus jamais. Le genre d'homme qui l'attire malgré elle. Un homme à la peau brune et aux yeux tendres. Un homme bien en chair. Qui pourrait rire avec elle et se réjouir de ces somptueux repas qu'elle aime préparer. Mais cet inconnu, cet homme avenant qui n'est ni trop beau ni trop jeune, qui ne semble pas appartenir à quelqu'un d'autre, à une jalouse aux yeux de lynx, cet inconnu qui n'en est pas vraiment un parce qu'elle l'a vu partout et sait qu'elle le reverra, reste incapable de la faire sortir d'elle-même. Cet homme qu'elle n'a jamais rencontré ou qu'elle n'a rencontré que le temps d'entendre son nom avant que sa maman Precious Pearl l'éloigne pour revenir avec un de ces diacres ridés, à tête de singe, n'arrive pas à la détourner de celle qu'elle est.

Elle est Jeune Épouse du Christ. Sanctifiée à Son service. Mais là non plus il n'y a pas de mystère. Ce qui jadis semblait immense au point d'être au-delà des mots est aussi banal que de faire la cuisine et le ménage pour un homme de chair et de sang. Bien sûr qu'il y a de temps à autre des moments de passion mais ce sont comme des petits points lumineux dans la vaste obscurité qui a pris place au-dessus de sa tête, de lointaines étoiles qui brillent mais ne réchauffent pas le ciel nocturne.

Elle n'est pas Jeune Épouse du Christ. Plus depuis l'été de ses treize ans quand sa mère l'a emmenée au Sud rendre visite à la Famille. Sept ans passés loin d'eux et elle avait quasiment oublié ces cousins de la campagne. La moitié des gens là-bas au Sud semblaient porter le même nom qu'elle. Même Tommy Jackson. T.J., un petit baratineur clair de peau. Elle ne l'entend plus courir dans les herbes mais elle entend encore son cri d'appel et les autres qui lui répondent cependant qu'ils accourent en aboyant comme des limiers là où le drap pour le pique-nique s'étale sous les arbres. Elle est en train de ramasser sa culotte. C'est curieux mais elle avait plus honte de sa culotte que de ses fesses nues et elle l'avait enlevée tellement vite que pour un peu T.J., pris de peur, serait parti. Une fois qu'il avait eu la main dedans là-haut il fallait absolument qu'elle se débarrasse de sa culotte, qu'elle le laisse faire ou non après. Peu importait finalement. Qu'il le fasse ou pas. Même après trente-six mille mises en garde et autant de menaces comme quoi ci ou ça ou autre chose encore va se produire aussi sûr qu'après le jour vient la nuit ou après le péché les feux de l'enfer, toutes ces vieilles sornettes alors que sa mère devrait savoir à cette heure qu'elle n'est pas dupe à ce point. Les filles de la campagne se racontent mutuellement ces histoires, en rient ensemble et se moquent des boniments de leurs mères. Mais elle, elle était incapable de rire de la sienne ou de la blesser d'une façon ou d'une autre. Grâce à sa mère elle tenait debout et sur sa mère s'appuyait. Maman avait ravaudé la vieille culotte, qu'elle ait le derrière couvert comme il faut. Ce rapiéçage constituait un secret, un secret entre mère et fille. Et même si elle pouvait ouvrir les jambes pour T.J., ce genre de secret ne se partageait pas.

L'herbe lui chatouillait la peau quand elle s'était assise par terre pour renfiler sa culotte. Assise parce qu'elle avait besoin de l'être. Pour que la douleur et la mouillure, suave et tiède, puisse s'écouler de son corps lentement, à son rythme à elle, Reba Love, selon son bon plaisir à elle, au lieu de la précipitation de T.J., tout de suite à l'intérieur. Comme s'il avait eu quelqu'un aux trousses. Assise avec la robe encore comme une couronne autour de ses hanches étroites. Et la voilà qui s'inquiète : Ça va être tout chiffonné. Est-ce que ça va se défroisser ? Puis elle pense aux autres filles. Assises toute la journée sur des couvertures. Ou sur l'herbe pour celles qui ne font pas attention, quand ce n'est pas directement par terre, et toutes ces robes du dimanche qu'il faudra frotter, frotter. Elle met la main. La touffe, le mouillé-collant. Sa main. Ses doigts comme ceux de T.J. mais les siens à lui n'avaient rien appris, n'étaient pas restés au même endroit assez longtemps pour qu'elle ait eu une chance d'y répondre. Oui, comme les doigts du garçon mais les siens à elle sont tout noirs comme plus bas où c'est de la même couleur. Sa peau est celle de la nuit comme la peau sur les vitres du car. À jamais, on pouvait être une chose à jamais. Ou bien une fois, une seule fois pouvait tout changer à jamais.

Elle avait été incapable de dire non. Et aussi maintenant de dire pourquoi elle n'avait pas dit non. Et donc une fois elle a menti à sa mère et peut-être à Dieu, elle qui pourtant avait porté la robe blanche des « saintes » paroissiennes, la Robe Nuptiale sanctifiée et sacrée en Son nom.

De ces choses-là elle ne pouvait parler. Pas plus que du mort qu'ils avaient découvert ce même jour coincé dans les racines le long de la berge. Le corps de l'homme qui s'était fait lyncher, avaient chuchoté les adultes. Quand ils l'avaient remonté sur la rive, ils avaient dit aux enfants d'aller ailleurs. D'aller jouer. Et elle avait été incapable de dire non, comme elle l'était de parler de certaines choses. Elle pouvait seulement les chanter. Glisser ses histoires dans les chants qu'elle avait entendus toute sa vie en sorte que ces chansons étaient devenues ses histoires.

Peut-on jamais faire autrement, se demande-t-elle ? Suis-je partie pour être Reba Love Jackson jusqu'à la fin de mes jours ? Ses pensées se perdent dans le grondement du car. Des lumières clignotent, papillotent, escaladent le ciel nocturne. Elle file à fond de train à travers le New Jersey à bord d'un Greyhound. Sa mère peut-elle suivre son vol ? Passera-t-elle une nuit blanche ? Les « saintes » ont-elles besoin de dormir ? Envie de dormir ?

Non, elle sera toujours Reba Love Jackson. Jusqu'à ce qu'Il pose le doigt sur elle et la fasse venir à Ses côtés.

... histoire de régler le son dites-nous comment vous vous appelez

Reba Love Jackson

très bien, parfait. Et maintenant je vais faire une petite intro : Ce matin j'ai l'immense plaisir d'accueillir au micro Reba Love Jackson, une grande dame que beaucoup appellent la Reine Mère du Gospel. Elle est venue nous voir ici dans notre studio, de la part de Watson Productions, qui en ce moment même au Théâtre Uptown au carrefour de la 60e Rue et de Market présentent Miss Reba Love Jackson ainsi qu'une pléiade d'autres stars dans le cadre de la spectaculaire Super Caravane du Gospel qui a lieu une fois par an. Oui Mesdames et Messieurs. Le train du Gospel s'arrête ici pour trois jours à partir de sept heures ce soir. C'est le grand événement que vous attendez tous, alors venez à l'Uptown retrouver la véritable inspiration et l'émotion de toutes ces voix... ça va comme ça... je peux étoffer plus tard... j'ai d'autres promos à faire passer... hmmmph... et donc euh Miss euh Jackson... commençons par le commencement... si vous voulez bien... pouvez-vous dire à nos auditeurs, Miss Reba Love Jackson, la Reine du Gospel, où vous êtes née

près d'Atlanta en Géorgie au lieu-dit Bucolia. Ce n'était pas grand à l'époque et ça ne l'est toujours pas. Une bourgade de campagne où on forme tous une grande famille avec Dieu pour chef.

je sais très bien de quoi vous parlez. Nous savons tous très bien ici de quoi elle parle, n'est-ce pas, chers frères et sœurs qui nous écoutez ? Oh oui. Là-bas chez nous, si on connaît ! Poulet rôti, biscuits, gruau de maïs et le prêtre qui s'invite le dimanche et engloutit les trois quarts du plat... Seigneur Dieu !... oh Seigneur !... mais continuez Miss Reba Love Jackson. Racontez-nous.

nous n'avions pas grand-chose. Mais il n'y avait que ma maman et moi et on se débrouillait. Maman Precious était une sainte. Personne ne travaillait aussi dur que ma maman. Je n'ai jamais connu mon père, j'ai seulement entendu parler de lui. Il est mort quand j'étais toute petite. Il travaillait aux chemins de fer, m'a dit ma maman, tué accidentellement. Les gens à Bucolia n'étaient pas riches. Nous autres, les enfants, nous quittions l'école vers dix-onze ans pour travailler aux champs avec les adultes. On n'avait pas vraiment d'enfance à l'époque. À l'époque les gens n'avaient tout simplement pas le temps de jouer et de s'instruire comme aujourd'hui. Ce que j'ai appris, je l'ai appris au catéchisme et auprès de ma maman. Mais ça, ça reste. Parce que c'est la vérité de Dieu. Pas comme certaines personnes instruites qui...

oui. Oui. Les personnes instruites. Nous en connaissons tous. Mais continuons Miss Reba Love Jackson... contrairement à de nombreux artistes, notamment parmi les chanteurs de gospel, vous vous êtes illustrée par une attitude militante sur le front des droits civiques. Si vous voulez bien parler un peu à nos auditeurs de votre engagement au sein du Mouvement.

moi je ne comprends rien à toutes ces choses-là, le mouvement, la politique. On se sert de mon nom, voilà tout, et je me retrouve mêlée à tout cela. Mais c'est ce que je chante. Si on écoute bien, ces chansons-là racontent des histoires. Il y a les paroles. Et j'ai toujours cru en ces paroles-là. C'est pour cela que je les chante. Elles et rien qu'elles. Dieu m'a accordé un peu de force et je ne vais pas la gaspiller au profit du Diable. Nous sommes tous les créatures du bon Dieu et la Bible ne dit pas qu'on est obligés d'aller s'asseoir au fond des bus ou de se soumettre à un homme quel qu'il soit, un simple mortel de toute façon. La question du blanc et du noir n'est pas censée régir les enfants du bon Dieu. Il n'y a qu'un Maître : Lui

tout à fait. Absolument.

malheureusement les gens n'écoutent pas le Gospel. Ils battent quatre cinq fois la mesure avec leurs pieds puis retournent dans la rue, à leurs vices. Ce sont des chrétiens du dimanche, pour qu'on les voie et qu'on dise : T'as vu Miss Jones et son chapeau neuf, son manteau neuf. Ce qu'elle est chic. Ils vont à l'église pour être vus et non pas pour entendre Sa Parole. Si le monde est dans l'état où il est, c'est bien à cause de cela. Il y a un chant qui dit : Quand dès le matin le monde est tout branlant / Il n'y en a plus pour très longtemps. Et un autre qui dit : Un jour la Paix régnera dans la Vallée. Et c'est certain, l'heure viendra. Mais c'est la trompette de Dieu qui dira quand. Et sûrement pas les Blancs. Ni avec leurs bombes atomiques, leurs bombes H, leurs femmes nues, la drogue et l'alcool qu'ils vendent aux gens, les petites filles déchiquetées par leurs bombes dans les églises, les chiens policiers et les lances d'incendie qu'ils ont rien que pour faire mal aux gens et tous menteurs comme pas un à commencer par le Président et tout du long. Non. Il faut nous arrêter de saigner pour les Blancs et commencer à nous guider nous-mêmes sur le chemin de la vertu. Il a donné Son Fils unique afin de nous montrer la voie

ce que vous nous dites là est la vérité pure… à présent si vous voulez bien nous parler un peu de vos premiers pas dans le métier… nous raconter comment vous êtes devenue la coqueluche de millions de fans.

c'était il y a à peine cinq ou six ans près de Memphis, à l'époque nous circulions encore à bord d'un vieux break déglingué. On était sept chanteuses et pas des maigrichonnes. Je me rappelle parce que Claretta, Dieu ait son âme, avait mal au cœur et il fallait s'arrêter toutes les demi-heures, or sur cette route il faisait chaud, c'était plein de poussière mais on avait encore cinq cents kilomètres devant nous avant de pouvoir nous arrêter vraiment et en plus une fois arrivées là-bas il allait falloir chanter et Claretta se sentait de plus en plus mal parce qu'il fallait rouler. Voilà soudain deux types de la police locale qui nous arrêtent, deux Blancs : Tout le monde descend, qu'ils disent. Alors nous voilà toutes debout sur la route en plein soleil avec ces deux types en train de ricaner derrière leurs lunettes noires et de parler de fouille au corps. De plus en plus grossiers. Ce qui nous a sauvées, c'est Claretta, elle ne disait rien, elle avait trop peur comme nous toutes de dire quoi que ce soit à ces deux agents mal embouchés mais je l'ai vue blêmir comme quand on était obligées d'arrêter la voiture. Alors la pauvre petite a été incapable de se retenir plus longtemps et quand c'est sorti, là même où elle se tenait, debout sur le bas-côté, morte de honte et gémissante, si vous aviez vu la débandade et...

oui, madame. Je suis sûre que vous pourriez nous raconter mille et une histoires sur la vie dans le Sud et ses tribulations...

c'était pas seulement le Sud. Les pires dans le genre c'est parfois ici même qu'on les trouve dans les rues de Philadelphie et de New York. Ça fait des années que je viens dans le coin et croyez-moi

nos auditeurs partagent votre indignation. Nous savons tous le calvaire que vous avez enduré mais je parie que les gens aimeraient entendre comment partie de presque rien vous êtes devenue une star

Dieu ne m'a pas fait don d'une belle voix. Mais Il a placé des fardeaux sur ma tête et m'a donné la force de les porter. Quand je chante les gens le savent. Ils entendent leurs histoires dans mes chansons, c'est tout

vous êtes trop modeste. Miss Reba Love Jackson est une source d'inspiration pour tous les chrétiens. Mais on ne l'appelle pas la Reine du Gospel pour rien. Il faut l'entendre chanter pour le croire. Venez tous à l'Uptown et si vous voulez une place de choix mieux vaut ne pas arriver à la dernière minute

je n'ai jamais eu la voix de Mahalia ou celle de Willie Mae Ford ni d'aucune d'entre elles… mais j'ai écouté les meilleures… j'ai grandi avec ce qu'il y avait de mieux dans le genre. Là-bas à Bucolia ils sont tous venus… Kings of Harmony, Selah Jubilee Singers, les Heavenly Gospel Singers de Spartanburg en Caroline du Sud, les Golden Gates, les Hummingbirds and Nightingales et les Mighty Mighty Clouds of Joy… et moi j'étais assise avec ma maman, j'écoutais et je me disais si jamais un jour je vais au paradis s'il vous plaît, Seigneur, s'il vous plaît, faites que là-haut ça ressemble à ça. Moi assise à côté de ma maman et les anges en train d'ébranler de leurs voix les fondations du firmament. Les gens dans le temps étaient si bons chanteurs, si bons prêcheurs, on avait l'impression que leurs mains vous pénétraient et fouillaient jusqu'à ce qu'ils aient trouvé l'endroit où on avait besoin d'être touchée… ils…

pardonnez-moi de vous couper la parole mais il ne reste plus beaucoup de temps et nos auditeurs ont envie d'en entendre un peu plus sur ce qui les attend quand ils vont venir vous voir à l'Uptown… J'ai là sous les yeux un article qui parle de l'un de vos spectacles là-bas de l'autre côté de l'Atlantique à Paris ! Paris ! Chers auditeurs, écoutez bien :

« Reba Love Jackson électrise son public… Sur scène ce n'est pas une dame mais une panthère noire rugissante qui saute, bondit et danse ses chansons… elle incarne ce qu'il y a de primitif et de puissant dans l'âme africaine. »

ça ne doit pas dater d'hier. Je ne suis allée qu'une seule fois à Paris, il y a très longtemps. Il paraît que je gesticulais pas mal sur scène. Folle de joie et compagnie. Pour dire la vérité je n'y réfléchissais pas cent cinquante ans. Je me contentais de chanter tous ces vieux chants et les laissais m'entraîner où ils voulaient. Mais aujourd'hui ça fait un bout de temps que je chante. Pour moi c'est comme si j'avais toujours chanté et maintenant je suis comme les poissons quand l'eau refroidit. Ils arrêtent de gigoter dans tous les sens, se laissent couler au fond et ne bougent plus. Ils sont là mais il faut descendre loin, tout au fond, et avec ce qu'il faut, si on veut les faire bouger

nous nous fierons à ce que dit de vous ce frère en France, Miss Reba Love Jackson. Nos auditeurs pourront juger par eux-mêmes… retrouver le parfum de cette bonne ferveur d'autrefois lorsque la Super Caravane du Gospel fera halte ce soir à l'Uptown. Et le fan qui vous parle sait qu'il ne sera pas déçu. J'ai comme le pressentiment, Reba Love Jackson, la Reine Mère du Gospel, qu'avec vous ce soir ces articles nous paraîtront bien sages… coupez !

Une pour son anniversaire

On est le 19 juin, c'est son anniversaire, elle a soixante-cinq ans et fête l'occasion en allant pour la première fois de sa vie à la plage, au bord de la mer. Atlantic City : elle n'a jamais rien vu de tel. Elle en a presque le tournis, assise en complet neuf (sa mère n'a jamais porté de pantalon, pas même pour travailler aux champs) dans une calèche conduite par un jeune Noir, avec l'impression d'être un kilomètre au-dessus de la Promenade. Le temps à moitié couvert n'entame pas sa bonne humeur. Les voiles de brume légère qui, poussés par le vent, viennent de la mer, quand ils lui arrosent délicatement le visage, rafraîchissent. Elle s'est fait du souci, au départ, quant à sa voix. L'air salé, âpre dans sa gorge, et l'horreur à l'idée d'être enrhumée une fois face à la foule du Palais des Congrès. Mais pour l'instant pas de problème. Sa voix est une bête musculeuse, bien tenue encore au bout de sa laisse. Quand elle tirera dessus, l'animal sera là et, au moment voulu, elle le détachera pour lui permettre d'accomplir sa besogne. Sur sa langue elle sent le goût du sel. Les drapeaux qui claquent, les parasols à rayures, les tenues colorées des passants, la Grande Roue toute étincelante de lumières en plein après-midi, l'orgue de Barbarie comme démantibulé dans le fracas des vagues, tout ce qu'elle voit, sent, entend et touche fête son anniversaire.

Quand la calèche a atteint une zone de la plage jonchée de corps bruns, elle prie le jeune cocher de s'arrêter. Elle n'a pas remarqué de personnes de couleur ailleurs sur le sable blanc. Le garçon lui crie par-dessus l'épaule : «... ici c'est Poulet-Plage, Ma'me », et aussitôt elle comprend. Depuis le début c'est là qu'elle voulait venir même si jusque-là elle n'en avait pas eu conscience.

« S'il vous plaît, jeune homme, attendez-moi ici. » Elle paie à l'heure et sait donc qu'il attendra. Elle savoure cette obéissance, toute cette extravagance : une suite à l'hôtel, un taxi jusqu'au front de mer, une tenue neuve simplement parce qu'elle en a eu envie. On connaît son nom. Des inconnus l'abordent dans la rue et lui disent : Vous ne seriez pas Reba Love ? C'est un plaisir de vous rencontrer, Miss Reba Love. Appuyée à la balustrade qui sépare de la plage les planches de la Promenade, elle se déchausse puis ôte ses bas de nylon, laissant voir des orteils fripés et malmenés, des ongles jaunâtres. Des pieds mal en point On dirait, écartés ainsi dans le sable chaud, les longs doigts de pied de sa mère. Ses pattes d'ef orange battent au vent vif. Tandis qu'elle se dirige droit vers l'océan, la plante de ses pieds couine à chaque pas. Le sable chuchote, bruissant comme ces somptueuses tenues qu'elles portent sur scène. Des corps noirs, ivoire et toutes les nuances intermédiaires, à moitié nus sur le sable.

Quand le premier tourbillon d'eau glacée vient lécher ses orteils, elle repense à sa voix. Le souffle coupé, vite elle recule et remonte les plis impeccables de son pantalon. Derrière elle on joue du tambour. Et devant, la grande barbe mouvante de son Père, aux nuances infinies de gris et d'écume blanche. L'océan est trop vaste, trop remuant. Tous les morts sont là. Riches et pauvres, Noirs et Blancs, justes et pécheurs. Et il reste encore plein de place pour les vivants. De la place pour ces corps couchés comme grumes séchant au soleil. Le vent trace ses sillons à travers la barbe du Père dont les épis s'emmêlent, se couvrent d'une croûte de salive et d'écume séchées, cependant qu'Il rugit Sa colère, Sa solitude. Il y a des abysses là-bas que les vivants ne rempliront jamais. Dans le tonnerre du ressac elle entend pleurer des nouveau-nés.

Le mouvement de la mer apaise la terre tourbillonnante. Déferlant de l'horizon, les rouleaux se figent en un vert chatoiement. Si seulement elle pouvait voir Ses yeux. Des yeux qui jamais ne se ferment, jamais ne s'ouvrent. Ses yeux, où qu'ils soient. Elle a envie de voir ce qu'Il voit quand Il la regarde de là-haut tête nue.

Une mouette crie. Puis les froides entraves se resserrent autour de ses chevilles. Des trous s'ouvrent dans la terre, lentement, subtilement, qui l'aspirent. Elle sait que si elle ne trouve pas la force de fuir, des chevaux hurlants l'entraîneront avec eux sous les vagues.

Encore une pour Willie l'Aveugle

Ta mère c'est une brave femme
Elle a le ventre en peau de daim et le trou du cul en caoutchouc

Ô Noiraud, Noiraud, sauve-moi
Je te donnerai plus de con de blanche que t'en a jamais vu

Les mots du blues, les petites épopées des toasts et les comptines cochonnes tiennent l'aveugle éveillé avec leurs jeux de mots et leurs sous-entendus. Toutes ces voix imbriquées et d'autres encore par-dessous, et quand il ne rit pas avec les autres, ce sont les autres qui rient de lui. Le videur a précipité Willie l'Aveugle dans l'escalier du speakeasy. C'est à pic et Willie culbute, dégringole. « Je t'ai déjà dit de pas venir ici faire la manche et embêter la clientèle. » Dégringolant tant de marches qu'il entend les différentes parties de son corps se briser dans sa chute, impuissant. Tant de marches aux arêtes coupantes, que Willie l'Aveugle a le temps de redouter l'horrible impact au pied de l'escalier, de voir déjà son corps lové en forme d'œuf quand lui-même arrivera en bas et que la dernière collision le brisera, en trente-six morceaux.

Stagolee a supplié Billy :
« S'il te plaît, m'ôte pas la vie.
J'ai trois mômes qu'ont faim
Et ma femme qui va pas bien. »

D'abord il se croit arrivé en enfer quand au réveil il entend tous ces grognements et gémissements autour de lui. Flotte une odeur de produits chimiques. Et le supplice de ces petites voix qui le provoquent. Mais après il comprend qu'il est encore vivant parce qu'il n'est pas en train de cramer. Il a froid, il est gelé. Plus froid qu'il n'a jamais eu. Si seulement il avait du papier journal à glisser sous ses habits. Il se met à rêver du manteau qu'il a perdu lors d'une partie de rami près du chemin de fer. Il s'entend chanter des histoires de cœur de glace et de femmes au cœur de glace. Lui-même a trop froid pour être mort. Il est quelque part où des Blancs parlent et rient.

Des mains blanches l'écorchent. Des yeux blancs sont posés sur lui comme une épaisse couche de neige. Des pieds blancs lui piétinent la poitrine.

Noiraud, Noiraud…

Le videur et la chute étaient noirs. Des mains noires l'ont poussé dans l'interminable escalier. Mais le choc final, la mort en mille morceaux sont blancs.

Seigneur… Aidez-moi… Aidez-moi à tenir bon

S'il pouvait chanter à présent, ce serait un chant de chrétien. Il est à genoux au Temple, à droite de la chaire dans le Coin des Exaltés. Il cogne des deux poings sur la porte qui même dans l'obscurité palpite, chaude et rouge comme du sang. Il capte un parfum. Entend des hanches de femme, un bruissement de hanches noires, frottant contre quelque chose qui ne veut pas les libérer. Il se revoit en train de déshabiller Carrie May. Baissant son corset. Le grain de sa peau avec la chair de poule et les plaquettes de caoutchouc rose. Et elle après toute soyeuse, toute douce, une fois nue.

Plus près…

Le parfum est un nuage au-dessus de sa tête. Il est en train de s'évanouir, il essaie de reprendre haleine, d'empêcher son cœur d'exploser, voudrait que son ventre reprenne sa place pour permettre à ses poumons de se remplir d'air. Il essaie de se rappeler les paroles d'une chanson de cette fille, Reba Love Jackson. Et elle, elle la fredonne pour aider Willie à se rappeler. Elle sourit et accompagne d'un *Viens... Approche...* le doux ténor de l'aveugle. Ils vont chanter ensemble. Encore une fois.

Et la dernière sera pour Homewood

Chaque fois que je traverse ces États-Unis d'Amérique, cela me réjouit le cœur de faire halte ici pour vous revoir. Certains d'entre vous savent que j'ai des racines ici. Solides, qui remontent loin. Oui, j'ai vécu ici à Pittsburgh jadis. Maman était employée chez des Blancs, rue Winebiddle. Nous habitions Homewood. Combien de fois j'ai attendu que le tram ramène ma maman à la maison. Il s'arrêtait au carrefour de la rue Penn et de l'avenue Douglas et elle avait encore cinq rues à remonter à pied avant d'être arrivée. Et certains d'entre vous le savent bien, c'est long, cinq rues quand on a déjà passé toute la sainte journée à trotter dans la cuisine de ses patrons blancs. Seigneur ! À trimer toute la journée pour eux, après quoi le tramway, et encore cinq longues rues à pied, puis recommencer à faire la cuisine et le ménage pour la famille cette fois. Interminable. Et ma maman qui faisait tout ça à pied. Dame oui. Et nous avons tous connu ça. Pas besoin de vous faire un dessin. Dame non. Reba Love Jackson n'a pas toujours été à chanter les louanges du Seigneur debout sur scène. J'ai aussi chanté Ses louanges à genoux. *Ceci est mon histoire/Ceci est ma chanson.* Oui. *À louer mon Seigneur. Tout au long du jour.* Chanté la serpillière à la main. Des fois je me dis que je n'ai jamais mieux chanté que quand j'étais toute seule à genoux à trimer chez les Blancs. Mais je me souviendrai toujours de Homewood.

L'été j'allais à la rencontre de Maman. Je lui prenais son sac de courses, je lui donnais la main et rentrais avec elle. Tout est resté gravé dans mon souvenir. Chaque pas, chaque arbre, tous les trous dans le trottoir, de l'arrêt du tram jusqu'à notre petit logement derrière l'Épicerie Mack. Il n'y avait pas petite fille plus heureuse que moi lorsque je rentrais ainsi avec Maman. Je pourrrais continuer ainsi encore longtemps sur Homewood à l'époque mais vous êtes venus pour entendre chanter et non pas jacasser alors je vais chanter. Une dernière pour Homewood…

AU-DELÀ DU MISSOURI

O'Hara, à tel ou tel film dont les visions intermittentes s'accompagnent, un instant, d'un retour de la bande son.

Ici dans nos montagnes c'est le printemps. Qui n'arrive jamais vraiment, à pareille altitude. Mais menace simplement. Vient seulement squatter un jour ou quelques heures, puis disparaît et nous rend suicidaires. Le printemps qui nous titille et finalement se refuse à nous, une saison particulière ici qui devrait avoir un nom à elle toute seule. Comme la Poisse. Ou la Catastrophe. Ou un mot de ce genre. Le temps qu'il fait n'a toutefois rien à voir avec les images. Ni le vent ni le temps ni rien que je comprenne n'impose à ma conscience ce bel homme qui sourit devant la glace. Pas plus que la géographie ou le climat n'expliquent l'inévitable succession — le fleuve, la monnaie, la chanson, la tristesse, le souvenir — de ces autres images qui nous culbutent lui et moi, car cela m'arrive en tout lieu et en toute saison. Dans le souvenir en question c'est comme un masque qui tombe. L'homme blanc devant le miroir est mon père. Et alors je sais pourquoi je suis si triste, pourquoi la chanson me fait pleurer, pourquoi la monnaie se trouve là où elle est, je sais où mène le fleuve.

J'ai rendez-vous avec mon père. J'ai déjà écrit cette histoire. Il est serveur au restaurant des Grands Magasins Kaufman, au onzième étage. Pas la cafétéria. Fais attention de ne pas te perdre dans l'immeuble. Lui, c'est le coin chic où on est servi à table. Le restaurant. Moquette rouge. Si tu te perds, tu n'as qu'à le demander. Ou tu demandes Oscar. M. Parker. Tu connais Oscar. C'est le maître d'hôtel là-haut. Oscar qui plus tard a connu des temps difficiles, si difficiles qu'il ne trouve plus de travail nulle part, et n'en connaît plus d'autres. *Ce n'est pas qu'il est tombé malade ou je ne sais quoi. C'est simplement le whisky. C'est le whisky que tu vois là-bas dans le coin, il n'arrive même pas à décoller la tête de sur la table.* Quand t'arrives au onzième, tu demandes ton père, M. Lawson, ou tu demandes M. Parker. Oui.

j'ai déjà écrit cette histoire parce que j'entends ma mère maintenant, comme quelqu'un dans un livre ou une histoire qu'on raconte qui m'explique comment faire. C'est ce que j'ai écrit mais ce n'est pas ce qui s'est passé parce qu'en fait elle est venue avec moi chez Kaufman. Jusqu'au onzième étage en tout cas mais il fallait qu'elle passe au siège de la compagnie de gaz régler une facture impayée, qu'elle retourne par le tram à Homewood, qu'elle aille chez le Dr Barnhart, et elle voulait être rentrée avant moi. C'est elle qui avait eu cette idée que j'aille retrouver mon père pour manger puis aller au cinéma, et l'idée justement, c'était qu'on soit seuls tous les deux, Papa et moi. Et donc, du doigt ma mère m'a indiqué la grande salle moquettée de rouge et je me rappelle avoir voulu lui faire une bise, attendre avec elle devant l'ascenseur après qu'elle a eu appuyé sur le bouton où est apparue la flèche verte pointée en bas. Si c'est ainsi que je l'avais écrit la première fois, je lui ferais de nouveau une bise, je sentirais de nouveau son parfum, réentendrais les sonnettes et les poulies métalliques des ascenseurs et les yeux que j'avais derrière la tête se reporteraient encore avec appréhension sur cette salle monumentale, pleine de Blancs, où les Noirs en veste blanche évoluaient en silence tels des fantômes mais dont aucun n'était mon père.

L'entrée du restaurant devait être très large. Comme tous ces établissements de luxe, avec la caisse un peu à l'écart d'un côté et de hautes travées délimitées par l'arrière des boxes. Large mais barrée par un cordon à tresses d'or, peut-être même à pompons, tendu entre deux piquets de cuivre arrivant à peu près à mi-corps, dont la base ronde et cannelée pouvait coulisser facilement n'importe où sur la moquette rouge. Une Blanche volumineuse, en robe à fleurs, de la soie peut-être, se tient debout comme à son habitude à côté du piquet et le cordon d'or se mord la queue lorsqu'elle passe les deux extrémités de la boucle dans un crochet situé au bout de l'un des piquets.

J'ai dû me dire alors *J'ai rendez-vous avec mon père.* Je me le suis dit et je l'ai dit aux yeux de cette femme qui semblaient à la fois ne pas me voir et plonger si loin en moi que j'avais envie de rentrer sous terre tellement j'avais honte. Mort de timidité, de nervosité et carrément de peur, j'ai dû me dire beaucoup de choses. À l'extérieur de la salle d'audience, confronté à la froide majesté du Palais de Justice, des années plus tard, alors que j'attendais de déposer en faveur de mon frère, j'ai senti la même intimidation, le même besoin de me rappeler à moi-même que j'avais le droit d'être où j'étais. Que les messages encodés dans ces murs, ces portes, ces plafonds, ces sols de marbre, dans les matériaux dont ils étaient faits, pouvaient se regarder en face, que je pouvais parler et respirer au milieu de cette tempête de mots lâchés sur moi par les architectes invisibles qui avaient assujetti l'espace où je me trouvais.

Papa. Papa. C'est le matin, je suis devant la porte. Ses ronflements emplissent la pièce, minuscule, plutôt un cagibi qu'une chambre, séparée du reste de la maison, en sorte que le poêle ne la chauffe pas. Le lit, peint en vert, est petit mais touche déjà trois murs. Je dis sa *porte* : en fait, c'est un rideau suspendu à une ficelle. On habite au premier et quand je l'appelle je suis à l'extérieur, dans le couloir, sur un palier qui surplombe une cage d'escalier glaciale. *Votre père est rentré tard du travail hier soir et vous ne faites pas de bruit ce matin, qu'il puisse dormir un peu,* mais je suis là, sur le lino froid, à l'écouter ronfler, à sentir l'odeur de son sommeil, cette odeur d'homme dont je me demande maintenant si j'en ai hérité, si elle me suit partout et estampille ce qui est à moi comme étant à moi quand mes gamins farfouillent là où ils n'ont que faire. Quand il bouge dans le noir derrière le rideau, je me parle tout seul. Il geint et le matelas geint à son tour sous lui, et le petit lit métallique couine quand le dormeur glisse ailleurs dans ses rêves.

Je me dis : *Où est-il ?* Je dévisage tous les Noirs. Ils n'arrêtent pas de bouger. Je les vois hocher la tête devant les convives blancs ou glisser vers les portes battantes, là-bas au fond, raides comme la justice, le cheveu ras et l'air impénétrable au-dessus du col officier. Jean Toomer voyait dans les visages des Blancs des pétales du crépuscule et moi maintenant je vois ces serveurs s'insinuer tels des oiseaux dans des corolles, descendre en silence, en silence déposer du pollen ou ce qui fait que les fleurs poussent et que les Blancs traitent bien les Noirs. Et donc que les pourboires fleurissent. Maintenant je vois toute la scène au ralenti, la danse nuptiale, les pétales, les vestes blanches amidonnées, élégantes comme des voiles sillonnant la mer rouge. Mais dans mon histoire c'est du bruit et des images floues. Des visages bruns jamais assez longtemps immobiles pour être mon père.

« Eddie, regarde qui est là ! »

Il y a une nappe blanche sur la table, qui pend presque jusqu'au sol. Mes genoux se perdent sous la nappe, ça pèse comme une couverture, mais Oscar en a une autre, pliée sur l'avant-bras, et quand il la déploie elle claque tel un drapeau ou le chiffon d'un cireur de chaussures ; il l'étale par-dessus l'autre : voilà la table deux fois couverte. Quand Oscar m'a installé, il y avait deux tasses avec leurs soucoupes. Il est allé chercher mon père et m'a dit qu'il allait revenir tout de suite s'occuper de moi, que j'étais vraiment un grand garçon maintenant, je ressemblais comme deux gouttes d'eau à mon père. Il a poussé quelques miettes du bord de la table vers le creux de sa main et nous a fait un grand sourire à moi et aux deux tasses, de l'autre côté de cette interminable nappe blanche. Lui parti, je repousse un petit peu la soucoupe, pour voir si elle est aussi lourde qu'elle en a l'air. Et sous le bord, de mon côté, se trouvent trois pièces de dix cents. Deux toutes brillantes et une jaune comme une dent pourrie. Je pousse encore un peu et en découvre d'autres, deux grosses de vingt-cinq qui ne sont ni neuves ni usagées. Me voilà donc installé à cette énorme table avec tout cet argent devant moi mais j'ai trop peur d'y toucher, je ramène donc la soucoupe avec sa tasse de cinq kilos au-dessus des pièces et j'essaie de réfléchir à la situation. Je sais qu'il vaut mieux ne pas toucher la nappe. Je sais que j'y laisserai forcément une tache ou une traînée dès l'instant où ma main en aura touché la blancheur. Je tente donc de déplacer les sous en m'aidant du rond de la soucoupe, jusqu'au bord de la table, pour que ça me tombe dans la main, mais j'agis en aveugle et j'entends tinter la tasse, j'ai juste le temps de voir le petit reste de café au fond d'un bond s'en échapper, et je m'inquiète à l'idée que la personne qui a oublié les pièces va se rappeler et ne manquera pas de venir les récupérer, et alors moi, qu'est-ce que je dirai, est-ce que je mentirai, mais on saura tout de suite, un négrillon installé à une grande table telle que celle-ci blanche comme neige ment forcément, je n'ai d'autre choix que mentir, et tout le monde dans le restaurant saura que le voleur c'est forcément moi, je suis là à gamberger, à m'inquiéter, à me demander quelle sera la réaction de mon père si tous ces gens viennent s'en prendre à moi et alors là je rafle tout, carrément, ni vu ni connu.

« Regarde donc qui est là, Eddie. » Et entre mes dents je dis La ferme, Monsieur Oscar Parker, taisez-vous donc, vous avez envie que tout le monde ici écoute sonner les pièces au fond de ma poche. Pire qu'un serpent à sonnettes, prêt à me mordre la jambe à travers mon pantalon neuf. Occupez-vous de vos oignons. Regarde donc qui n'est pas là. Il n'y a personne ici alors allez-vous-en.

Puis mon père soulève les soucoupes et de l'autre main bouchonne la nappe du dessus restée en place, vite avalée par ses longs doigts, puis calée sous l'aisselle. Oscar fait claquer la propre comme un cireur de chaussures son chiffon puis l'étale sur la table. La pose sans bruit, doucement, comme de la neige fraîche.

« L'aide serveur va apporter les couverts. T'en veux un, Eddie ?

— Non. Je vais simplement lui tenir compagnie.

— Il te ressemble comme deux gouttes d'eau.

— Ça vaut mieux, non ?

— Comme tu dis. »

Je ne me souviens plus de ce que j'ai mangé. Je ne me rappelle rien des propos de mon père. Avant, quand j'ai écrit cela, il y avait du dialogue. Beaucoup de conversation, entrecoupée de didascalies et d'interférences liées à l'activité du restaurant, au bruit de la salle. Père et fils une île au milieu d'un chaos à moquette rouge, de clients blancs et de serveurs noirs, avec la ville tapie en coulisse prête à les avaler tous les deux quand ils redescendraient par l'ascenseur jusqu'au rez-de-chaussée et franchiraient le tambour vert de chez Kaufman. Mais ce n'est pas ainsi que cela s'est passé. Nous avons effectivement parlé. Pour autant qu'on savait se parler. Tous les deux empruntés et contraints comme nous le sommes encore quand nous essayons de causer. J'oublie tous les mots. Les mots n'étaient pas importants car ce qui comptait c'était sa présence, peu importe qu'on parle ou qu'on se taise. Il était avec moi et resterait avec moi tout l'après-midi — voilà. Il a quand même dû au moins m'interroger sur les films. Je crois que je savais ce qui se donnait dans tous les cinémas du centre et en connaissais toutes les adresses et j'aurais pu lui réciter les noms des stars, ce que la publicité disait de chacune. Les images ne sont pas claires mais je vois encore la page cinéma et sa disposition. Je l'avais en mémoire mais quand il m'a interrogé je n'ai pas récité ce que je savais, je n'ai même pas émis une préférence parce que cela m'était égal. Aller avec lui, voilà ce qui comptait. Aller ensemble, n'importe où, suffisait. Je suis donc resté à table à l'attendre, à me demander ce que j'avais mangé, à promener ma langue dans ma bouche pour voir si j'en tirais un indice. Parce qu'on m'avait servi à manger et que j'avais tout avalé mais tout n'avait eu goût que de lui. Sa présence mon festin.

Il est revenu sans la veste blanche. Il avait rapporté un journal et il a lu tout seul quelques instants, avant de me citer des petits extraits de ce que je connaissais déjà. Mais le fait que ce soit lui qui lise changeait tout. Il savait des choses que je n'avais même pas devinées lorsque la veille j'avais parcouru la page cinéma. Pourquoi tel film était un navet, pourquoi tel autre de l'argent fichu en l'air, combien de temps on mettrait pour se rendre à pied à tel cinéma et lesquels se situaient trop loin. J'avais envie de lui dire peu importe, que ce soit l'un ou l'autre, mais je n'ai pas ouvert la bouche avant d'entendre, rien qu'à la voix, le film qu'il avait envie de voir.

Il mesure un mètre quatre-vingts. Il a la peau brun foncé, teintée d'ocre. Ma mère possède une série de photos prises dans un photomaton, probablement celui qui était encore chez Murphy à l'époque où le Bazar Murphy existait encore sur l'avenue de Homewood quand j'étais petit. À moins que ce n'ait été l'une des cabines du parc d'attractions de Kennywood, qui existent toujours. Ils n'ont pas vingt ans sur la photo, tout sourires devant l'appareil automatique où ils ont mis leur pièce de vingt-cinq. Maman est pâle, elle a l'air exténuée, le visage vidé de toute couleur par l'explosion des flashes. Son visage à lui sur ces clichés en noir et blanc est plus sombre qu'il ne l'est en réalité. Noir comme Sambo, si on veut qu'il enrage on peut dire ça. Noir comme Sambo le P'tit Négrillon. Sur la bande quatre taches noires couleur charbon. Mais si on regarde de près on voit qu'il était vraiment beau à l'époque. À sourire le temps de quatre poses successives. Chaque fois un peu plus près du visage de ma mère, penché vers elle et, hors champ, les mains probablement baladeuses parce que dès le troisième cliché elle commence à perdre son air de grand-mère et sur la dernière photo elle aussi est fendue jusqu'aux deux oreilles. On voit de grands yeux théâtraux aux longs cils et aux lourdes paupières. On voit l'éclat des dents dans une grande bouche et la conscience qu'il a, sans la moindre vanité ni la moindre gêne, de sa beauté. Noir, ou plutôt mauve maintenant que les photos sont décolorées, mais par-delà la couleur mensongère c'est clairement l'un de ces beaux hommes aux yeux marron que chante Chuck Berry et que d'autres lynchent.

« Tiens ! *ça* c'est bien. J'avais pensé avoir le temps de regarder le journal avant mais on n'a pas arrêté. Je voulais m'assurer qu'il y avait un bon film mais ça va, ils passent un western au Stanley et c'est seulement à deux rues de Gimbels. Avec Clark Gable. *Au-delà du Missouri.* »

La chanson, en gros, raconte : *Un Blanc aimait une jeune Indienne* tra-la-la tra-la-lère. Et : *Parti, tu es parti... au-delà du Missouri.* En tout cas c'est ce qui y est dit, je crois. Je crois que j'ignore exprès les paroles. Pour la même raison que je n'ai pas le disque. En trente ans, depuis que j'ai vu le film, j'ai peut-être réentendu quinze ou vingt fois la chanson, ou au moins des extraits. Chaque fois j'ai envie de pleurer. Quand je ne pleure pas pour de bon, sans bruit. Un flot de larmes couleur fer comme le grand Missouri dont je me souviens dans le film. *Partis, nous sommes partis... au-delà du Missouri.* Et il suffit de l'avoir en fragments. De l'avoir entendu une seule fois en entier puis plus jamais d'un bout à l'autre, seulement en fragments. Comme un printemps qui n'arrive jamais. Mais on voit quelques fleurs s'ouvrir. Un nuage noir descendre un versant herbeux. Un rouge-gorge. De longues et belles jambes en short. Le soleil brûlant sur le visage si on s'allonge à l'abri du vent. Les à-coups, les rythmes, les cadences du printemps-qui-n'arrive-pas, source de tous les printemps qui eux arrivent.

La dernière fois que j'ai entendu cette chanson mon fils a dit qu'elle s'appelait *Shenandoah.* Peut-être devrait-elle s'appeler ainsi. Encore une fois je ne sais pas. Et mon instinct me dit là de ne pas trop chercher. De prendre ce qui vient sans vouloir forcément en tirer autre chose que ce qui s'y trouve. Dans les fragments. Les bouts. Les coïncidences, comme le jour où j'ai entendu mon fils fredonner la chanson, je l'interroge et découvre que sa classe l'a apprise à l'école et la chantera pour la Nuit de la Chanson lorsque ceux du cours élémentaire joueront devant les parents. Il connaissait les paroles de quelques couplets et je lui ai demandé de me les chanter. Il a eu l'air content que je le lui demande et s'est mis à pépier de tout son cœur, de cette voix un peu cassée, un peu haletante mais douce qu'ont les petits garçons à cet âge-là.

À présent je me rends compte que j'ai raté le concert. J'avais le choix entre la Nuit de la Chanson et la compagnie d'un poète de passage qui avait obtenu un prix Pulitzer. J'avais choisi — sans même me rappeler *Au-delà du Missouri* — la nuit d'un dîner trop arrosé, avec trop de vin, trop de découpage de mots en quatre, trop de tout, jusqu'à l'heure de fermeture du bar, l'heure où, les identités une fois défroquées, nous nous étions trouvés réduits à l'état de clichés, pires que la guimauve de la Shenandoah, éjectés, titubants, par les portes battantes dans le vent et le froid de Laramie.

Je redemanderai à mon fils de me la rechanter. J'espère qu'il se rappellera les paroles. Peut-être tricherai-je et apprendrai-je un couplet moi-même, de façon à pouvoir les dire plutôt que de faire *mmm mmm* quand me reviendra la mélodie. Peut-être réussirai-je à parler à mon père, de sa présence par exemple. Ou bien du jour où il m'avait emmené au cinéma, seuls, rien que nous deux dans une salle du centre où je l'avais vu durant les quatre-vingt-dix minutes qu'avait duré le film faire merveille sur l'écran, se montrer courageux, magnifique et tout-puissant. Ou encore du matin, quand il se lavait bruyamment les dents au lavabo. Parce que je comprends un peu mieux maintenant pourquoi cela arrivait si rarement. (Une seule fois ?) Ce n'était pas possible, une seule fois en tant d'années. Quand je dis une fois, c'est symbolique. C'est une image. C'est un brouillage de la réalité, comme dans certains films certains plans brouillent ou déforment pour mieux focaliser. Je comprends mieux désormais le fleuve, la monnaie, la chanson, la tristesse, le souvenir. J'ai moi-même des fils à présent. Je suis souvent allé avec eux au cinéma. Parce que la nature de mon travail n'est pas la même que pour mon père. Je suis plus libre. J'ai plus de temps et d'argent. Il lui est forcément arrivé d'agir comme il convient, sans quoi je n'aurais pas réussi. Je n'aurais pas pu. Quand plus tard je lui ai raconté avoir « trouvé » de l'argent sur la table, il a ri. Entre-temps j'avais moi-même été serveur. À Atlantic City, l'été pendant les vacances universitaires, à l'Hôtel Morton, sur la Promenade. J'avais compris le coup des pourboires. Je connaissais les habitudes de certaines personnes, bienséantes. Les raisons qui les poussent à se comporter avec leurs sous comme si c'étaient des excréments : elles éprouvent le besoin de les dissimuler, de les cacher en toutes sortes d'endroits bizarres. Par exemple, sous le bord d'une soucoupe. Comme si elles avaient honte ou que jouer à cache-cache les fasse jouir. À moins que ce ne soit un usage hérité de leur père. En tout cas il a ri quand je lui ai raconté et il a dit qu'Oscar avait probablement expédié au diable deux ou trois

RASHAD

Rashad est de retour. Tout beau tout clean avec une tire de caïd. Paraît qu'il deale à ç't heure, oui super dealer comme un roi à Detroit. Le pote il traficote. Roule en Regal vif argent et se trimballe lui-même couvert d'argent. Oui Rashad est de retour. Clean et blanc comme neige. Son costard, c'est pas du prêt-à-porter. Modèle unique. Flambant neuf. Le mec roule en Regal tunée, avec RASHAD *écrit sur la plaque.*

figure derrière des voilettes noires toutes bruissantes. Elle roule la banderole, un peu plus serré. L'envers en est poussiéreux, une tache de moisi en arc de cercle comme de la cendre blanchâtre court sur le cylindre sombre qu'elle tient fermement à deux mains. Depuis combien de temps la banderole est-elle accrochée ici dans ce coin. Depuis combien de temps vit-elle elle-même dans cette maison de la rue Finance ? Depuis combien de temps les rues de Homewood s'emplissent-elles de neige l'hiver, de feuilles l'automne et des cris de ses enfants jouant au soleil ? Combien de temps s'est-il écoulé depuis qu'elle a enfoncé le clou et y a glissé la cordelette à glands d'or de façon que le fanion soit accroché bien droit ? Pas moyen de le faire tenir debout sur la cheminée avec les photos, alors elle a enfoncé un clou dans le mur derrière le fauteuil rembourré non sans jurer quand elle a entendu se désagréger les entrailles du mur pourri et elle a prié à chaque coup de marteau, que le clou entre et tienne. Parce que brodé dans la soie noire de la banderole il y a le portrait de sa petite-fille Keesha, le premier bébé de sa fille, et le cliché ayant servi à l'exécution du portrait, la seule photo existante du bébé, se trouvait à dix mille kilomètres de chez elle dans le portefeuille du père.

Rashad avait emporté la photo avec lui au Vietnam. Elle y avait renoncé à contrecœur. Juste avant de partir, Rashad était venu la voir : il avait envie de faire la paix. Il était mieux que les mois précédents. Je suis clean, Maman. Je suis O.K. maintenant, avait-il dit. Il l'appelait maman et des fois elle aimait ; des fois ça la rendait furieuse. Ce n'est pas parce qu'il avait épousé sa fille ni parce qu'il n'y avait eu personne alors qu'il grandissait qu'il ait pu appeler maman ni parce qu'il se croyait beau gosse et qu'il la prenait pour une telle gourde qu'il pouvait se la mettre dans la poche en la baratinant et entre deux battements de cils langoureux en l'appelant maman, non ce n'était pas pour ça, ni parce qu'il y avait une jungle là-bas à dix mille kilomètres où les jeunes Noirs tombaient comme des mouches, non ce n'était pas une raison s'il croyait qu'elle allait confier la seule et unique photo de sa petite-fille à cette main de rapace, il se trompait lourdement. Mais il était venu toquer chez elle animé d'une volonté de paix. Signes de paix, la façon dont il s'était assis une jambe repliée sur l'autre, la façon dont il avait coupé toute cette tignasse, taillé sa moustache et rasé son bouc hirsute, signes de paix ces mains croisées autour des genoux et la douceur dans la voix de celui qui se penchait vers elle. Je sais que je me suis fourvoyé, Maman. Et je suis le premier à savoir à quel point ce truc-là ça rend malade. Comme si on n'était plus soi-même. On devient accro et alors il n'y a plus personne qui compte. Mais je suis O.K. maintenant. Je ne suis plus malade maintenant. Je suis clean. J'aime ma femme et j'aime ma petite et maintenant, Maman, je vais me conduire comme il faut.

Il avait demandé et donc elle aussi elle avait fait la paix. Comme une idiote elle était presque en larmes quand elle était allée jusqu'à la cheminée retirer du passe-partout l'instantané qu'elle avait glissé dans le coin de la photo de Shirley prise au bal du lycée. Elle avait eu des projets pour cette photo de sa petite-fille. Un cadre en argent dans la vitrine de la bijouterie devant laquelle elle passait tous les matins sur le chemin du travail. Mais elle l'avait dégagée de la bande cartonnée où elle l'avait insérée, dans le coin en haut, là où elle ne masquait rien d'autre que les feuilles du palmier situé derrière Shirley et son cavalier en smoking, où la photo pourrait rester, parfaitement visible, en attendant qu'elle-même ait de quoi acheter le cadre d'argent, oui, elle avait dégagé l'instantané et l'avait remis au père de sa petite-fille, Rashad, comme gage de paix.

Puis un jour le paquet était arrivé, par la poste. Le facteur avait sonné et, en retard comme d'habitude pour partir au travail, elle avait raté son bus, obligée de rester plantée là à signer le reçu et le facteur lui non plus n'était pas content parce qu'elle l'avait fait poireauter, le temps d'enfiler un peignoir par-dessus sa combinaison, de le boutonner et de se nouer un fichu autour de la tête.

Vous signez là. Là où ça dit reçu par. Là, madame, là. Elle l'avait alors regardé d'un œil noir comme pour dire je m'en fiche moi de tout ce courrier que tu trimballes dans ta sacoche, ce n'est pas une raison pour me bousculer, tu m'as déjà fait rater mon bus et je ne vais quand même pas ouvrir ma porte à moitié nue.

Je sais lire, merci. Et de signer, une lettre après l'autre, comme si elle savait peut-être lire mais qu'elle eût peut-être oublié comment écrire. Elle prenait tout son temps parce que la répétition de ces grands coups sur la porte alors qu'elle avait déjà crié : Une seconde ! ne l'avaient pas fait aller plus vite mais plus lentement au contraire, comme si peut-être elle ne savait pas trop comment boutonner un peignoir ou envelopper d'un fichu ses cheveux emmêlés, et qu'elle mît du temps à s'en souvenir.

Merci, quand elle avait pris le paquet et refermé la porte plus fort que nécessaire. Elle ne l'avait pas claquée au nez du facteur mais l'avait poussée suffisamment fort pour lui faire comprendre qu'il n'était pas le seul à devoir s'activer le matin.

À l'intérieur, enveloppée dans des kilos de papier de soie, la banderole. D'abord elle n'avait pas compris. Ses yeux s'étaient reportés sur ces rangées de timbres aux couleurs vives collés à l'extérieur sur le papier kraft. Dans un coin les nom et matricule de Rashad, et au milieu « Shirley et Maman » écrits eux aussi en mauve au crayon de couleur en petits caractères, une écriture de gosse. Des poignées de papier de soie blanc à l'intérieur de la boîte grisâtre. Puis la banderole de soie noire où des fils de couleur dessinaient un motif sur l'étoffe. Elle n'avait pas su d'abord ce que c'était. Les bras tendus et la banderole tenue au bout des doigts, bien droite, elle l'avait laissée se dérouler. Sûrement pas une petite robe de poupée chinoise expédiée d'outre-mer par Rashad pour Keesha, elle savait bien, mais c'est à cela qu'elle avait d'abord pensé face à cette étoffe qu'elle gardait là, à pendre, à bout de bras et, la retournant, elle s'était dit qu'il lui faudrait la défroisser, la repasser en veillant à ce que son vilain fer ne chauffe pas trop.

Puis elle avait reconnu une tête d'enfant. Joufflue, souriante, avec des boucles brunes et des yeux noirs légèrement bridés, la tête d'un de ces bébés qu'ils avaient là-bas dans la jungle où Rashad se battait. Une belle image d'une minuscule montagne à la cime enneigée et d'un lac bleu brodé à l'arrière-plan à l'aide des mêmes fils lumineux qui détachent le visage de l'enfant en relief sur un océan de soie noire. Bien que la bouche du bébé s'ourle d'un sourire et que le petit paysage de montagne qui flotte à l'arrière-plan soit joli comme tout, elle était triste, cette banderole. Non pas à cause de ces plis dans le tissu que le fer à repasser devrait effacer ou parce que ça s'était froissé d'être resté couché sur le papier de soie. Non, c'était le visage : il avait quelque chose de triste et de familier. Elle voyait les yeux de sa fille, les yeux de Shirley, ruisselants de tristesse comme ils l'avaient été en pleine nuit la première fois qu'elle avait fui Rashad pour se réfugier chez sa mère. Cognant à la porte. Shirley plantée là dans le noir sur le perron, tremblante. Comme prête à fuir ailleurs dans la nuit ou à s'effondrer dans l'entrée, où elle se tenait, tremblant sur place. Il m'a frappée. Il m'a frappée, Maman. Shirley dans ses bras, toute grelottante comme une petite fille. Tu ne peux pas te battre avec lui. C'est un homme, ma chérie. Tu ne peux pas te battre avec lui comme si toi aussi tu étais un homme.

Oui, les yeux de Shirley dans le visage de ce bébé. Tout le monde la taquinait. On appelait Shirley *la Chinetoque* parce qu'elle a la peau claire et jaunâtre et de grands yeux qui semblent rebiquer aux extrémités. Puis elle s'était rappelé la photo cédée à Rashad prêt à partir. Elle avait lu le mot sur la banderole en bas dans le coin, étalé sous ses yeux depuis le début, la bande de lettres vertes dont elle avait cru qu'elles faisaient partie du motif jusqu'à ce qu'elle perçoive les yeux de sa fille dans le visage du bébé, qu'elle regarde de plus près et lise *Keesha.*

Et Keesha, ça fait combien de temps, combien d'années qu'on la taquine avec ce portrait accroché dans un coin du salon ?

Enlève-le, Mémé. C'est trop laid.

Impossible, ma puce. C'est toi, mon trésor. C'est quelque chose que Papa a fait faire pour toi exprès.

C'est moche. Ça me ressemble pas du tout.

Ton papa, il a payé très cher pour ce portrait. Un jour tu apprécieras.

J'aimerai jamais, c'est trop vilain. Je ne suis pas chinetoque, moi. On est toujours en train de me taquiner avec ça. Je ne suis pas une petite Chinetoque.

Oui, depuis combien de temps, combien d'années cette banderole était-elle là derrière le grand fauteuil rembourré, dans le coin sombre du salon ? La guerre était finie à présent, Rashad et le reste des troupes déjà rentrés. Il y avait combien de temps qu'un petit homme jaune en pyjama noir comme eux tous là-bas avait tenu la photo dans sa main de ouistiti, qu'il avait souri à la vue de Keesha, puis souri à Rashad, pris l'argent et commencé à tisser le visage dans l'étoffe. Il était probablement mort à présent. Disparu sans doute depuis longtemps comme tant d'entre eux là-bas bombardés fusillés brûlés avec cette essence-là qu'on leur balançait d'avion. Un petit vieux tout triste. Peut-être avaient-ils tué sa petite-fille. Peut-être avait-il pris l'argent de Rashad et mis sur la soie la tête de sa petite à lui. Peut-être était-ce la petite morte qu'il voyait même avec la photo de Keesha posée juste à côté de lui pendant qu'il cousait. Peut-être était-ce cette tristesse-là qu'elle avait vue en ouvrant le paquet et qu'elle allait voir et revoir jusqu'à ce qu'elle apprenne à ne jamais regarder dans le coin là-bas au-dessus du fauteuil aux ressorts bien enrobés.

Keesha est une grande fille de onze ans maintenant, aux longues jambes de poulain, aux fesses hautes rondes musclées. Déjà les gars téléphonent. Et déjà, si on nomme le bon devant elle, le sang lui monte aux joues. Keesha qui grandit et sa sœur Tammy qui la talonne. Et qui grandit encore plus vite parce qu'elle voit l'avance prise par l'aînée, qu'elle a peur de ne jamais rattraper. Elle a raison. Il en sera toujours ainsi. Elle, il ne faudra pas la lâcher d'une semelle. Ah ! tu trouves que Keesha ne perd pas de temps. Je vais te dire une chose. Le jour où tu auras à courir après Tammy, tu regretteras Keesha !

Tout à coup elles arrivent à un âge où on ne peut plus rien leur dire. Rien de rien. On peut s'époumoner jusqu'à la saint-glinglin, elles n'ont rien entendu. Tu as été pareille toi aussi, ma chère. Ce n'est pas la peine de me regarder comme ça avec tes grands yeux de Chinoise parce que je te répète toi aussi t'étais pareille. Je t'ai parlé parlé parlé, mais c'était Rashad ceci Rashad cela et c'était comme si j'avais parlé toute seule parce que de toute façon tu l'aurais même si tu devais en perdre la vie.

Elle déroule la banderole, au cas où elle aurait tiré trop fort. Non, c'est encore là, les fils éclatants encore intacts, la triste petite morte qui lui sourit. La petite morte de l'autre côté de l'océan, Kaleesha sa petite-fille morte, son fils mort-né. Quand on regarde de près on voit que les fils de couleur, plus épais, sont attachés à la soie par des centaines de points noirs à peine visibles. Plus fines qu'une toile d'araignée, les boucles noires entourent les cordelettes d'or, de bronze et d'argent qui donnent au visage du bébé sa bigarrure, sa luminosité. À distance les couleurs et les textures du portrait se fondent mais de près le visage de l'enfant est un patchwork de cicatrices luisantes aussi laid que Keesha le dit. Rashad l'a assurément payé un bon prix mais si le vieil homme a pleuré pendant l'ouvrage, il a dû lui arriver aussi de rire. Un vieux roublard de Chinois, un vieux malin, empochant le magot et riant parce qu'il pouvait bien coller sur son bout de chiffon la tête de qui bon lui semblait.

Elle a entendu Rashad parler de la guerre. Une de ces nuits où Shirley s'était réfugiée chez Maman, il l'avait suivie et après s'être introduit par une fenêtre du sous-sol il s'était endormi au salon. Elle l'avait entendu avant de le voir, couché sur le canapé, son feutre à tout petits bords rabattu sur les yeux, ses longues chaussures à bouts renflés en appui sur l'accoudoir. Ses ronflements envahissaient la pièce. Elle s'était arrêtée au milieu de l'escalier, épouvantée par ce grondement bizarre, avant de deviner ce que c'était, évidemment. Debout devant lui dans le noir, elle avait voulu, d'une tape, déloger ces longues chaussures, faire valser le chapeau de sur le nez. C'est lui. C'est lui le salaud qui maltraite ma fille chérie. Lui, l'homme — soi-disant — qui tabasse mon trésor. Et elle avait repensé à ses fils, qu'elle avait dû supplier, implorer, quasiment à genoux, de ne pas aller chez leur sœur tordre le cou à cette mauviette.

Il est malade, Maman. Il n'y peut rien. Il m'aime et il aime la petite. Il est rentré malade de cette sale guerre. C'est là-bas qu'ils l'ont rendu malade.

Elle avait regardé Rashad endormi sur le canapé. Même en dépit du trench-coat étalé sur son corps, elle voyait son extrême maigreur. Que la peau et les os. Une maigreur de junkie, parce qu'ils n'avalent que du sucre, ils n'ont plus envie que de sucre, ils n'ont plus que ce besoin maladif une fois accros à leur poison. Ses fils voulaient le tuer et l'auraient fait si elle ne les avait pas suppliés à genoux.

Il faut qu'elle apprenne à se battre toute seule. Votre sœur est adulte. N'y allez pas, je vous en supplie.

Cette nuit-là, elle avait senti le poids de l'obscurité, comme un tourbillon de vent autour d'elle. Elle était descendue au rez-de-chaussée chercher un verre de vin, le Mogen David dans le frigo, le vin liquoreux qui une ou deux fois par mois l'endormait quand rien d'autre n'y faisait. Elle avait la migraine et depuis qu'elle avait ouvert la porte et vu Shirley debout sur le perron, Keesha dans les bras, son cœur battait la chamade. Il y avait eu des coups de fil plus tôt dans la soirée avec Keesha qu'on entendait par-derrière hurler, et la deuxième fois Shirley en sanglots, puis minuit avait sonné et que faire, que dire cette fois-ci, la petite enfin endormie, les tasses de café vides à présent, quand il n'y avait plus qu'elles deux, deux femmes seules au milieu de la nuit dans cette cuisine tout éclairée. Finalement Shirley s'était endormie à son tour mais le nœud qu'elle avait à l'estomac et son cœur qui cognait l'avaient tirée, elle, de son lit. Elle était allée vérifier que Shirley et la petite dormaient toujours, puis descendue sans bruit, car pour l'aider il n'y avait plus que ce verre de vin et soudain le voilà lui, avant même d'être visible, le raffut de ses ronflements, et la nuit alors comme un tourbillon de vent l'emportant à mille lieues de cet homme, de ces maigres os qui puaient la drogue, sous le trench-coat loqueteux, oui à mille lieues de lui, et de tous, et de tout.

C'est quand il avait hurlé qu'elle s'était de nouveau réveillée, pour la dernière fois cette nuit-là, ou le matin déjà, né de la nuit exsangue, elle avait entendu Rashad crier comme un homme en feu et Shirley se précipiter dans l'escalier et, le temps de reprendre ses esprits d'enfiler son peignoir et de descendre au salon, Shirley était déjà avec lui sous le trench-coat et tous les deux paisibles comme si nul cri n'avait arraché le sommeil des yeux de l'une ni nulle terreur failli déchiqueter le corps squelettique de l'autre.

Dimanche matin donc, trop tard, et trop fatiguée pour aller à l'église, alors ils étaient tous les trois attablés à la cuisine devant leurs cafés, la tête lourde de tout ce poids de non-sommeil accumulé pendant la nuit, Shirley, Rashad et elle-même, exténuée, autour de la table tous les trois, lorsqu'il s'est mis à parler de la guerre.

J'étais cuistot. C'était le bon plan. Ouais. Un truc où t'es garé du massacre. Le bon plan parce qu'on pouvait faire un peu de business. Une petite arnaque, quoi. Des petits à-côtés. Genre, aux autres barjots-là, on leur distribuait pas que des fayots. Un peu d'herbe, un peu de schnouffe. Des mêmes Chinetoques qui nous vendaient le sel et le poivre. Et pour moi ça roulait impec. Et y aurait pas eu de problèmes sauf qu'il faut toujours qu'y ait des mecs trop gourmands. Faut toujours qu'ils raflent tout. Y a ce connard qui veut me casser la gueule pour me piquer mon fromage. Il dit que c'est lui le boss et que je lui nique son business. Après ça s'est enchaîné, quoi. Je lui suis tombé dessus. Histoire de lui montrer à qui il avait à faire. Je croyais que les yeux allaient lui sortir de la tête quand je lui ai fourré ma lame dans le bide. Bon je croyais que ça s'arrêterait là et que le type allait me foutre la paix mais il a monté un coup contre moi. Avec l'aide de quelques-uns de ces abrutis d'oursins qu'il payait pour qu'ils s'écrasent, il m'a bien eu au tournant, je me suis fait coffrer puis rapatrier vite fait. Je serais encore en taule si j'avais pas accepté de plaider coupable pour détention de substances et d'être viré de l'armée.

Ouais, on tuait, on brûlait, on explosait à la grenade et autre carnage mais ça j'en ai seulement entendu parler.

Moi j'avais un bon plan. Je filais aux négros de quoi bouffer et planer. Je les engraissais pour la jungle. En me bousillant au passage jusqu'au trognon pour finir comme vous me voyez là aujourd'hui à cette table, une loque, un nul.

Elle savait que l'histoire ne s'arrêtait pas là. Elle savait qu'il s'était retrouvé au cœur de la bataille au moins une fois parce que sa fille était toujours en train de lire les journaux et d'appeler sa mère au téléphone, elle pleurait, elle disait : Il est mort, Maman. Je sais qu'il est mort et ma pauvre petite ne connaîtra jamais son père. C'était avant le « bon plan », avant la came dont il disait que c'était un jeu d'enfant de s'en procurer. Mais des combats, pas un mot. Il en rêvait, se réveillait en hurlant au milieu de la nuit mais refusait d'en parler.

À présent elle l'a enlevée, elle la tient roulée et il faut la mettre quelque part. Il était temps de la décrocher, ça elle le sait, mais ne sait plus où mettre cette banderole maintenant qu'elle n'est plus au mur. À l'emplacement du clou un trou évasé et friable bâille dans le plâtre. Si elle le touche, le mur pourri risque de se fendre du plancher au plafond et la maison entière de s'écrouler autour d'elle. Un bout de mur gros comme un dé est déjà parti mais elle pourra réparer avec un peu d'enduit et dans le coin sombre là-bas on ne remarquera guère. Au-dessus du fauteuil la peinture a lourdement transpiré et le plafond dans l'angle est taché, alors une petite tache de plus, d'une autre couleur que le reste, n'aura aucune importance parce que le reste n'est pas d'une seule et même couleur mais plein de rapiéçages et de coulures, décoloré et aussi fatigué de tenir debout qu'elle l'est elle-même de le maintenir en place.

Un jour elle aimerait jeter à bas ces murs. À coups de marteau tous les abattre. Elle sait déjà quelle sensation lui donnera le marteau dans son poing, elle sait tout le plaisir qu'elle tirera de chacun de ces coups et elle s'entend déjà crier alléluia durant l'ouvrage.

Mais il lui faut quelque part où mettre la banderole. Elle est en retard comme d'habitude et Shirley et les filles ne tarderont pas à arriver pour l'emmener à l'église. Peut-être Shirley conduira-t-elle la nouvelle voiture de Rashad. Lui, un dimanche matin, il n'en aura assurément pas besoin. Quand il émergera, on en sera déjà au dîner et donc peut-être va-t-il donner les clés à Shirley : la classe pour les filles de se faire ainsi conduire à l'église. Les filles adorent leur papa et c'est réciproque. Quand il revient, c'est la fête. Des cadeaux, de l'argent, des balades en voiture et un bien joli papa dont vanter les mérites pendant des mois jusqu'à sa réapparition. Elle se demande combien de temps cela va durer cette fois-ci. Combien de temps à mener la grande vie, à planer, avant que quelqu'un l'abatte ou que la police le rattrape et alors il sera mort ou retournera en prison et retombera amoureux de « Shirley et Maman ».

Elle est là, la banderole à la main, et la pendule de la cuisine qui dit en retard, tu es en retard, et elle encore en peignoir, la baignoire encore vide, mais c'est plus fort qu'elle, il a fallu qu'elle arrête tout, qu'elle la décroche. Comme ça, quand les filles viendront frapper à la porte et l'appeler, écroulées entre deux vannes, et que Shirley restée au volant klaxonnera pour qu'elle se dépêche, aussitôt elle ouvrira la porte et leur fourrera ça dans les mains. À ce moment-là ce sera parti. Parti ailleurs, parce que d'abord elle n'en a jamais vraiment voulu, triste comme c'est. Elle ne comprend pas pourquoi elle l'a laissée accrochée aussi longtemps, pourquoi elle lui a permis d'élire domicile et de prendre possession du coin sombre là-bas derrière le fauteuil. Parce que c'est une vraie tristesse. Le portrait de quelqu'un qui n'a jamais fait partie de la famille. Encore une imbécillité de Rashad. À dépenser tous ses sous dès qu'il en a. Comme si ça lui brûlait les doigts. Rashad vivant comme un roi et jetant à ce vieux Chinois toute une poignée de dollars une fois la banderole terminée, Rashad menant grand train parce qu'il sait que sa vie n'ira pas loin et le vieux Chinetoque tout sourire devant cet imbécile de nègre : il ramasse l'argent que Rashad a carrément jeté par terre comme s'il en avait des tonnes, des montagnes, et ne savait pas comment le distribuer encore plus vite.

Elle aussi, elle aime Rashad. Toute cette poignée de dollars qu'il jette par-dessus son épaule doit lui faire le même effet que le marteau qu'elle tient à la main. Aujourd'hui elle priera pour Rashad. Et pour Tommy. Ces deux-là se ressemblent tellement. Une longue et difficile prière et elle aura l'impression de hisser sur ses épaules les briques rouges du sanctuaire, l'église de Homewood, d'essayer d'en soulever tout l'édifice, de soulever tout Homewood. Arbres, maisons, trottoirs et les voitures rutilantes garées le long. Oui ce sera vraiment difficile, prier pour qu'ils rentrent à bon port, à l'abri du danger.

Elle commence à monter l'escalier, toujours avec le rouleau de la banderole. Elle prendra un petit bain, cela dût-il la retarder encore. Elles peuvent bien attendre quelques instants. Elles ne vont pas en mourir, de l'attendre quelques instants. Elle, chaque jour de sa sainte vie, elle les a bien attendues, elles n'auront qu'à rester tranquilles quelques instants, parce que pour elles aussi il faut qu'elle prie. Prier pour eux tous et elle a besoin de toutes ses forces, aussi va-t-elle prendre un petit bain.

En haut de l'escalier, là où ça tourne et où ses fils doivent se baisser sinon ils se cognent la tête contre le plafond, à ce tournant où elle aussi se baisse toujours, non pas parce qu'elle se buterait si elle y manquait, mais parce que la légère inclinaison de son corps les fait revenir, ramène ses fils où ils ont tous grandi, plus hauts que le plafond en sorte qu'ils devaient se baisser pour franchir le tournant, à cet endroit près du sommet de l'escalier quand elle se penche et qu'ils sont revenus dans son ventre, redevenus bébés, elle pense au vieil homme cousant dans sa cahute grande comme une niche.

Rashad y entrerait le dos voûté pour lui remettre la photo. Le gage de réconciliation qu'elle a envoyé en même temps que lui, à des milliers de kilomètres, de l'autre côté de l'océan. Le vieux prendrait l'instantané, le regarderait et ferait oui de la tête quand Rashad indiquerait les banderoles et les portraits accrochés dans la hutte. Un petit vieux tout ridé. Et tout cassé, qui avait mal aux doigts comme elle le matin. Doigts enflés, articulations tordues. Des mains comme martelées. Si elle l'a gardée accrochée aussi longtemps, c'est parce qu'il l'a cousue de ces doigts infirmes. Et si elle l'a enlevée, c'est parce que le vieil homme était fatigué, parce qu'il était temps de se reposer, parce que Keesha est presque adulte à cette heure et que sa figure est au nombre de celles qui décorent la cheminée.

Elle voit clairement le petit vieux au tournant de l'escalier et comprend la tristesse qui se lit dans ces yeux. L'enfant perdu pour lequel elle priera aussi.

TOMMY

Il passe voir au Chausson de Velours. Dans le noir au début il voit que dalle. Rien que le juke-box l'odeur de bière et la puanteur qui s'échappe des W.-C. Hommes dont la porte reste toujours ouverte. Carl est pas encore là : ça doit être son jour pour la méthadone. Carl et son mal aux pieds comme s'il était au ralenti et voulait poser ses panards le plus doucement possible sur le trottoir brûlant : à petits pas de chochotte comme s'il marchait sur des œufs le long de Frankstown à pas feutrés vers le dispensaire. Pas de Tonton Carl pour lui payer une bière histoire de démarrer la journée alors il ressort à reculons replonger dans la lumière vive de l'avenue et retrouver dans les rues la paix de ce début d'après-midi après cette explosion de musique et de voix nègres.

Y a rien ici. Que dalle. S'il prend à gauche sous la barrière et grimpe l'escalier de pierre ou bien s'il escalade plié en deux l'espèce de sentier qui court désormais dans les herbes folles à flanc de talus il peut suivre la voie ferrée jusqu'au parc. Encore tôt pour le parc. À cette heure le soleil est partout et donne à l'herbe un éclat jaune. S'il prend à droite c'est le long de l'avenue jusque là où dans le temps se trouvaient les supermarchés et le Bazar 5 & 10. Ça pour bousiller le coin ils l'ont bousillé. Voilà ce qu'il se dit chaque fois qu'il a devant lui ce qui était autrefois le cœur de Homewood. Que dalle. Un parking et des emplacements vides avec des parcomètres cassés. Faudrait être complètement givré pour laisser sa bagnole devant un de ces trucs tordus. Des coins où se garer pour pouvoir aller faire ses courses dans des magasins disparus. Il se rappelle son petit business du samedi matin quand posté devant l'Alimentation A & P il attendait de transbahuter les provisions de ces dames. À l'époque y avait encore des Blanches qui venaient y faire leurs courses depuis le boulevard Thomas et avec un peu de chance on s'en dégottait une, qui vous donnait la pièce. Mais certaines de ces grosses Noires qui allaient pourtant à l'église tous les dimanches te faisaient trimballer dix tonnes de riz et de fayots jusqu'à perpète-les-ouilles et tout le long du chemin ça souriait ça bavassait Quel gentil mignon et j'ai connu ta maman qu'elle était toute petite et mon bonhomme tu me déposes tout ça sur la table de la cuisine et elles continuaient à te sourire avec un bon petit verre d'eau tiède et des clopinettes alors que tu t'étais coltiné leur boustifaille sur trente-six kilomètres.

La fournaise dehors mais ça plaît pas trop si on débarque comme ça et qu'on s'installe histoire de profiter de leur air conditionné non faut acheter à boire et consommer sur place. Le billard : une fournaise. Et aussi il est trop tôt pour aller se fourrer avec ces autres connards là au coin de la rue. Y en a toujours un à vouloir t'arnaquer. Eh ! mec, quand est-ce que tu vas me rendre mon fric, Eh ! ça fait trop longtemps que j'attends, Eh ! tu me files une pièce, jusqu'à ce soir, Eh ! ce soir je vais cartonner. Y a les bus qui grimpent et qui au bout de la montée tournent devant le magasin général, des cons garés en plein milieu de la rue, et les autres s'énervent klaxonnent veulent passer mais vous croyez que ces zigotos se dérangent ils ont à faire eux et ils vont rester là à te boucher la circulation tout le temps que ça leur chante et y a les bus qui grognent et lâchent leurs gaz en essayant tant bien que mal de tourner.

Tu peux regarder à droite tu peux regarder à gauche y a que dalle, rien qui te dise d'avancer dans un sens plutôt que dans l'autre. L'avenue de Homewood : entre les trottoirs gris une rayure gris foncé. Plein de rustines dans le goudron : on dirait un teigneux. Le long du trottoir du verre pilé scintille sous le goulot brisé d'une bouteille de vin de Tokay, il n'en reste que le long col et les épaules plus un bout d'étiquette qui pend. Quelqu'un devrait transformer ç't'avenue en une immense tranchée puis que je te pousse au fond du trou baraques et boutiques. Tout ensevelir, comme au cinoche il a vu un barrage céder et le tumulte dévaler le lit d'une rivière à sec jusqu'à ce que les eaux rugissantes débordent noient les berges emportent arbres et maisons déracinent tout sur leur passage tel un ouragan purificateur.

Il voit l'avenue de Homewood plonger puis bifurquer un chouïa au carrefour de Hamilton et là où elle remonte jusqu'à croiser Frankstown la chaleur est un rideau chatoyant au-dessus des rails du tramway. Fini les trams mais les rails glissants s'inscrustent toujours dans le bitume. On a oublié de les arracher et de déposer les câbles. Et quand il pleut ou qu'il neige y a toujours un corniaud qui se fait piéger et les rails trop lisses t'expédient une bagnole sur un poteau télégraphique ou contre une bouche d'incendie et les carcasses restent là pare-chocs emboutis pare-brise explosé oui elles restent sur place comme ça sans raison tout comme les rails et les câbles restent là comme ça sans raison maintenant qu'y a un service de bus là où passaient autrefois les trams 88 et 82 partant de Lincoln.

Il se rappelle avoir dévalé le raidillon de Lemington parce qu'après minuit y avait plus qu'un tram par heure et il a entendu le fracas du 82 entamant sa longue glissade sur Lincoln. Les Dells s'excitaient encore sur *Why Do You Have to Go* (Pourquoi Partir ?), il avait le bout de la queue mouillé les burnes en feu le doigt gluant mais il a oublié tout ça oublié la demi-heure passée dans l'entrée chez Sylvia parce qu'il cavalait à longues foulées coudes au corps les poings cherchant à s'agripper à l'air de la nuit tout prêt de tomber sur ce raidillon qu'il dévalait tête baissée. Il a entendu le tram arriver et aurait voulu être un oiseau s'élancer à tire-d'aile dans la nuit noire un oiseau aux pare-chocs chromés avec à l'arrière ailerons en queue de carpe et continental kit. Il essayait de regarder par terre d'éviter les fissures dans le trottoir et autres trous béants. Puis il a entendu la cloche du tram et le tintamarre des roues d'acier contre les rails. Lui qui avait été plongé dans la petite culotte de Sylvia et Sylvia mouillée comme un torchon il sentait dans son oreille le souffle brûlant de la fille gémissante et le tourne-disques à l'intérieur derrière la porte hoquetait comme un malade prisonnier du sillon de friture en fin de disque.

Il se rappelle cette nuit-là et maudit encore ce tram vide qui hurlant lui est passé sous le nez, lui stoppé dans son élan à seulement quelques dizaines de mètres du carrefour et ce sale Blanc de conducteur à moitié endormi dans sa bulle jaune. Et tandis que donnant de la gîte le tram s'éloignait a éclaté au bout de l'antenne branlante une gerbe d'étincelles rouges. Mon gars t'avais le béguin t'avais la trique mais au lieu de t'emballer t'aurais dû calter et là t'aurais eu le temps de sortir de ç'te culotte et de foncer jusqu'en bas. Trop de tripotage. Il avait raté le tram alors pedibus jambus ! Il a dû se taper tout le trajet à pied, et dans le noir au-dessus de sa tête — le tram depuis longtemps disparu — les câbles se balançaient, chantaient encore.

Obligé de faire la route à pied, pas le choix. Et comme il a toujours pas de bagnole il va encore à pied. Y a que dalle. Que ce soye à droite ou à gauche, que ce soye en haut de l'avenue ou en bas, tout à pied mais cool il soigne sa dégaine vu qu'y a rien d'autre à faire nulle part où aller alors comme ça au moins sa dégaine c'est quelque chose on voit qu'il sait bouger qu'il a du style sa façon à lui inimitable même par qui aurait une destination.

Il repense à un tir de nul au jeu de la neuf qu'il a foiré — au prix que coûte la partie de billard... — et son dernier dollar misé sur une assurance au blackjack. Il se revoit enfiler ce matin son pattes d'ef et le débardeur noir. Les plis tout nazes et de la grenadine ou qué'qu'chose sur le devant, fripé à mort derrière les genoux et à l'entrejambe. Un falsa de junkie ou de pochtron qu'il aurait jamais accepté de mettre y a quelques années seulement quand c'était l'un des mecs les plus classes au Lycée de Westinghouse. Sapé comme un prince et leader des Commodores. *Doo Wah Diddy, Wah Diddy Bop.* Des pantalons à trente-cinq dollars quand la plupart des zigues du bahut pouvaient même pas mettre ça dans un costard. Putain de merde. Quelle chierie. Quand tout collant de sueur il s'arrache aux draps gris c'est vraiment Gueule-Pourrie. Sa mère peut laver les draps tous les jours ça reste gris. Comme ses sous-vêtements. Comme tout ce qu'ils ont et tout ce qu'ils auront jamais. *Doo Wah Diddy.* À travers la tignasse trois ou quatre coups de râteau. Qu'on y laisse planté en guise de décoration et d'arme. De quoi bousiller un mec avec ces dents d'acier. On peut en aiguiser les pointes, fines comme des aiguilles. Et dégainer plus vite que Billy le Kid.

Il se dit que c'est vraiment nul ici. C'est couvert de graffiti avec des fautes à tous les mots. Et leurs poings Black Power qui ressemblent à des miches de pain.

Il se dit que toute cette avenue c'est comme une bouche où on a laissé tripatouiller un dentiste à la noix. Toutes ces vieilles baraques rien que des dents pourraves et ces trous qui partent dans tous les sens c'est les arrachées ou les pétées il reste plus que des bouts des chicots appelés à être virés. Il se dit C'est ça. Ouais, c'est bien ça. Pourquoi ça pue dans ce coin et que tout y est saleté microbes et pourriture. Et du coup je suis quoi moi dans l'histoire ? Et eux les autres nègres ils sont quoi ? Il se dit Ouais ouais y a que ça ici.

M. Strayhorn à l'endroit habituel juste après le carrefour de Hamilton et de Homewood assis sur une chaise pliante près de sa charrette à glaces. Étendue sur le devant pour protéger du soleil, une toile, qui transpire. Quelqu'un a dit que le bonhomme était centenaire, et un sacré lascar en son temps. Un flambeur comme l'a été son grand-père à lui, John French. On raconte qu'autrefois, dans le passage derrière Dumferline, Strayhorn a rossé à mort ou presque trois zozos cherchant à l'entuber. Il a réussi à piquer son couteau à l'un des trois et les a tous taulés à mains nues. Il passe tout l'été assis là à vendre ses glaces. Vieux et bigleux. Mais personne vient l'embêter alors même que tous les soirs il en a plein les poches.

Shit. Une de ces nuits un des jeunots finira bien par le zigouiller. Ces mômes sont fêlés. Ils te tuent pour deux sous et ça leur fait ni chaud ni froid. *Shit.* Ils se foutent pas mal de ce qu'on peut penser d'eux. Ils te tombent sur le dos en meutes comme chiens sauvages. On peut rien leur dire. Lui qui pensait avoir été de la sale graine. Et ses potes des voyous. *Shit.* Ces mômes aujourd'hui à douze ans en ont déjà plus à leur actif que les trois quarts des mecs adultes au cours de toute une vie.

Dur par ici. Il regarde à l'intérieur des boutiques disparues. Des fois ils en envahissent une. Ils occupent jusqu'à ce qu'on les en chasse qu'ils y foutent le feu ou qu'elle croule sous la merde et la pisse de nègre au point que plus personne veut s'en servir sauf les arsouilles et les junkies qui y viennent la nuit, eux ils dormiraient sur un lit de clous ça leur serait bien égal. Au passage il jette un œil entre les planches remplaçant la vitrine comme s'il lisait les pancartes, comme si peut-être y avait un truc qu'il avait besoin de savoir écrit là sur ces bouts de carton délavés décolorés parlant d'histoires anciennes.

Manifestation pour l'auto-défense... Ahmed Jamal. Vente de charité. Croisière Oméga. Les Dells. Madame Walker : Produits de Beauté.

Un oiseau mort écrasé tout racorni tout raplati dans le passage entre Albion et Tioga. Comme si on l'avait enduit de goudron et écrabouillé entre les pages d'un livre géant. Si on l'a pas vu avant encore dodu et couleurs d'oiseau impossible maintenant de le reconnaître. À présent ça ressemble à une semelle que quelqu'un aurait perdue à sa chaussure. Il a suivi la transformation. Quatre cinq jours ont suffi. Au troisième il a cru qu'un chat avait embarqué la bestiole. Mais quand il est repassé au coin de l'allée le lendemain après-midi il a retrouvé le machin noirâtre dans l'herbe en bordure des pavés. Y avait plus ni tête ni tache jaune à l'endroit du bec mais il a reconnu le reste et déjà à ce stade ça ressemblait à une semelle loqueteuse qui à force s'était détachée d'une godasse.

Tout ce qui est mort lui fait peur. Passe encore de regarder mais pas question d'y toucher. Petits ou gros les trucs morts peuvent rester où ils sont. Il s'est fait tatouiller par le daron le jour que sa mère a dit qu'il avait été insolent, qu'il refusait d'ôter de la tapette le rat mort. Son père pouvait toujours lui flanquer une autre raclée, pas question de toucher ç't'horreur. Les mecs rentrés du Vietnam parlent de flaques de boyaux et de sacs à macchabes où fourrer les bouts de cadavre. Ils disent qu'ils partent eux-mêmes avec leurs sacs pour y être emballés au cas où ils se feraient dégommer. Lui avant faudrait le faire passer en cour martiale. Pas question de trimballer de sac à macchabes. Maintenant ça lui fait tout drôle de se balader avec les grands sacs verts où on met les ordures. Dès qu'il voit un sac en plastique il pense à des mitrailleuses à des mecs hurlant en train de s'agripper le ventre et de bouler par terre comme ils font quand ils sont touchés dans *Tarawa Tête de pont, les Douze salopards, les Sept mercenaires* ou *l'Homme des hautes plaines* mais ces cris-là c'est pas dans le noir sur un écran c'est par un après-midi verdoyant et lumineux où Willie Thompson et lui sont en patrouille. C'est une rue comme Homewood. C'est calme comme Homewood l'est à cette heure de la journée et tout ravagé tout bombardé comme Homewood. Y a plus que des bouts de bâtiments encore debout ici et là, partout traces d'incendie maisons éventrées culbutées bagnoles désossées files d'épaves. Ils avancent à la queue leu leu l'uniforme très classe et la dégaine trop cool ils ont comme un sourire palpent leurs armes et y a un pétard gros comme un cigare qui passe d'un gus à l'autre. On entend presque de la musique là où se trouvait autrefois Porgy le disquaire, comme si cette super musique flottait encore dans l'air s'accrochait aux planches aux bouts de verre par terre aux rayonnages couverts de crottes de cafards et de rats : le fantôme de la musique qui s'échappe suave et agréable comme les odeurs de petits plats à la maison tandis que la patrouille passe devant ce qui était dans le temps Chez Porgy. Et là…

Ta ta ta… Ta ta ta… ta ta ta ta ta…

Soudain mais presque en mesure suffisamment en tout cas pour qu'on ait l'impression que le chef de patrouille n'en peut plus en a marre de jouer ainsi au soldat et ça y est il plane le pétard lui est monté droit à la tête et alors presque en mesure il bondit s'écarte se déhanche les bras en l'air pour pouvoir y aller à fond et vas-y donc ! Comme s'il explosait au rythme de la musique. À ce rythme qui le pousse, à l'écart là-bas tout seul, à se défoncer et c'est *ta ta ta* et on a tous envie de lui emboîter le pas en claquant des doigts derrière ses déhanchements et ses bras levés mais il est en train de hurler de s'affaler dans ç'te rue crade qui tout autour de lui explose en petits volcans de poussière. Et d'autres à l'avant de la colonne tombent en même temps que lui. Ça ne fait plus du tout rythmé maintenant tout le monde trébuche ou décolle comme fauché aux genoux. La belle colonne se retrouve toute tordue et en trente-six morceaux cependant que des lignes de forces meurtrières faufilent de trous l'avenue.

Hey man, quoi de neuf ? Que dalle c'est toi le caïd allez c'est où que ça se passe mais non c'est toi c'est toi je te dis y a rien de neuf si y avait un truc tu crois que je serais là à cramer au soleil dis donc ça l'air d'aller c'est quoi ton plan je te dis que c'est toi le caïd c'est toi le boss eh ta gonzesse-là un canon tu me suis et passe pas à côté de moi comme si tu me voyais pas ouais ça roule pour toi le boss en a le boss est clean et il va en garder un peu pour moi pas vrai t'as vu Ruchell et sa bande tu sais comment ils sont ce salaud nous est passé droit devant comme s'il avait vu personne mais tu le connais dès qu'il a quelque chose il connaît plus personne *shit* j'ai pourtant essayé de lui dire conduis-toi comme il faut joue pas aux égoïstes t'es têtu hein une vraie tête de mule mais tu crois qu'il m'écoute *shit* personne peut rien pour lui si ça vient pas de lui-même Ruchell *yeah man* Ruchell et sa bande ils ont débarqué ici y a pas longtemps eh mon pote t'es le boss et le boss en a allez tu m'en files un peu je sais que t'es plein aux as c'est toi le caïd alors forcément que t'en as allez file-moi un petit qué'qu'chose jusqu'à ce soir je te règle ce soir je suis ton copain tu sais te fais pas de bile je comprends *yeah* pas de problème aucun souci tu peux compter sur moi *yeah* t'as qu'à venir chez moi *yeah* on a un truc ce soir tu te pointes.

Il repart à gauche maintenant. Remonte Hamilton passe devant le vieux qui a l'air de roupiller près de sa charrette jusqu'à temps qu'on approche et alors ses yeux jaunes sous le bord du chapeau de paille te suivent. Tommy coupe par le passage après l'ancienne école primaire. Quand il arrive à mi-pente une partie est déjà entamée. Depuis un moment déjà on entendait les petits coups accélérés du ballon sur le ciment et le choc sourd d'un rebond sur le métal du châssis. Là-haut sous le soleil de plomb les joueurs sont moitié à poil et turbinent pire qu'un nègre dans les champs de coton. Ils brillent. Ils glissent bondissent se ruent les uns sur les autres comme si leurs corps sombres étaient suspendus à des fils invisibles. À ç't'heure de la journée le terrain est brûlant. Ça brûle à travers les grolles. Peut-être c'est pour ça que les gars jouent comme ils font à courir à sauter comme des fous parce qu'au sol c'est intenable. Dans le temps son frère jouait là toute la journée. À se démener toute la journée dans la fournaise avec d'autres dingues comme lui. Des vieux aussi bien que des jeunes et quand ceux sur la touche attendaient leur tour de jouer ça commençait à s'engueuler et on les entendait sacrer jurer jusqu'en haut du raidillon et même de l'autre côté du chemin de fer jusque dans le parc. À se vanner comme prêts à s'entretuer.

John son frère aîné est revenu y jouer quand il est passé avec sa famille l'été dernier. Là-haut, ainsi qu'à Mellon et sur les terrains près de la cité d'East Liberty. Son frère est l'un des vieux désormais. Toujours aussi dingue de basket. Il voit un zigue réussir à se démarquer avant de tirer en extension, sur l'aile : double flexion buste incliné et trajectoire en cloche : le ballon frôle le panneau et retombe pile dans l'anneau. Lui aussi il aurait pu faire du basket grand et souple avec des paluches plus larges que le frangin. À onze ans il pouvait déjà tenir la gonfle d'une seule main. Il regarde ses longs doigts. Ses longs pieds dans leurs baskets miteuses qui laissent voir la bosse crade du petit orteil. Le trottoir tout déformé tout éventré. Des petits carrés de gravier et de chiendent là où des dalles entières ont été arrachées. Il passe devant la piscine maintenant à sec. C'est qu'un grand trou de béton où les mecs pissent et balancent des bouteilles comme s'ils marquaient un panier à chaque fois. Suspendu à deux hauts piquets métalliques comme une toile d'araignée pleine de rouille ce qui reste d'un grillage et derrière les mailles galeuses de ç't écran le stade poussiéreux et encore par-derrière une jungle d'arbres souillés de suie en contrebas de la voie ferrée. Gamins ils appelaient ce coin-là le Bois des Clodos et bombardaient les soûlauds endormis à l'ombre des arbres. S'ils suivaient le chemin de fer tout du long jusqu'au parc ils passaient forcément sur le pont enjambant l'avenue de Homewood. Déjà que sur le pont les trains avaient à peine où passer alors c'était toujours coudes au corps et y avait toujours un petit malin pour crier *V'là le train* et tous les autres l'imitaient et t'avais la poitrine gonflée à bloc et le cœur au galop pour pas te retrouver à la traîne. Parce que le train pouvait pas tuer tout le monde. Peut-être qu'il choperait le dernier le lambin mais il écraserait pas tous ces négrillons hurlants qui à toutes pompes franchissaient le pont sur l'avenue. Du chemin de fer on voyait les ivrognes en bas vautrés sous un arbre ou assis en rond à biberonner, leurs bouteilles enveloppées d'un sac de papier kraft. La nuit ils allumaient des feux et même par des nuits d'été torrides on voyait leurs feux depuis les gradins pendant qu'on regardait les baseballeurs de la Légion s'en donner à cœur joie.

Du haut de la voie ferrée on pouvait bombarder le bois. Les pierres sifflaient dans les feuillages. Coup de bol : une bouteille volait en éclats. Alors un horrible pochtron tout gris réveillé brandissait le poing te lançait des injures et y avait un imbécile pour crier *Le v'là le v'là.* Et tu restais une semaine sans passer par en bas parce que tu croyais que le type te regardait droit dans les yeux à cracher le sang et à te montrer du doigt et pas question d'aller seul en bas le long du sentier parce qu'il est derrière chaque buisson tout gris la bouche en sang. Ses haillons gris battent comme un oiseau et une odeur d'oiseau une odeur de plumes écœurante étouffante t'enveloppe cependant qu'il t'entraîne dans les buissons.

Il a entendu parler d'un temps où les jeunes du quartier venaient dans le bois au pied de la voie ferrée. Jouer aux cartes aux dés boire du vin raconter des histoires chanter tous ces vieux airs du Sud. Ils descendaient là l'été et quand venait le froid ils traînaient au Baquet de Sang au carrefour de Frankstown et de Tioga. Dans les histoires y avait son grand-père John French l'un des pires lascars qu'ait jamais connus Homewood. Un boss le père French. On dit que son grand-père pouvait chanter à tout casser et aujourd'hui son baltringue de père fait partie de la chorale à l'église de Homewood, l'Église Épiscopalienne-Méthodiste-Africaine-de-Sion, à côté de Mme Washington qui monte tout là-haut dans les aigus. Lui il ressemble à son père à ce qu'il paraît toujours à chanter et à courir comme le grand-père avant lui, jusqu'à ce que le daron soit trop vieux et se convertisse. Lui, avec sa voix de ténor chef des Commodores. Tout le monde disait que les Commodores c'était le top. Si l'autre connard nous avait pas baisés avec le disque on aurait pu percer. Achmet à la conga. Tito aux bongos. De quoi allumer le parc. Y mettre carrément le feu. Les mômes et les vieux sont rentrés chez eux y a plus dans le parc que ceux qui sont censés y être et t'as ta gonzesse sur le côté qui t'écoute ou peut-être que tu chantes super cool pour en draguer une nouvelle qui au mileu de la foule t'a tapé dans l'œil. Des fois tout colle tout roule super cool. La batterie l'herbe le soleil qui se couche et toi qui t'éclates et les Commodores qui assurent derrière leur chef.

« Tu viens à l'église et pas de discussion. Fais-moi le plaisir de cirer tes chaussures et que je ne t'entende plus ! » Elle repasse sa chemise du dimanche qui va être raide et trop chaude comme d'hab tout en fredonnant les gospels donnés à la radio. « Sinon je t'envoie voir ton père. » Lequel est à la salle d'eau pour la demi-heure — mais qu'est-ce qu'il fabrique… — qu'il met toujours à se préparer. Après tout le monde est en retard. Et de chanter à tue-tête là-dedans pendant qu'il se rase. On n'a pas trop envie de passer juste après lui. « T'as cinq minutes, mon garçon. Dans cinq minutes tout doit être impeccable : les dents, les mains, sans oublier la goule. » Ça pue tellement là-dedans que t'as envie de vomir t'oses même pas respirer. Lui vient de chier et toi faut que tu te brosses les dents ! « Tu vas venir à l'église, cette semaine comme à l'avenir. Le dimanche matin c'est à moi, mon petit bonhomme, et ne t'avise pas de me le gâcher. Je t'assure que ce n'est pas le moment de faire l'insolent et de me gâcher mon office. » Il est au parc à présent en nage par cette chaleur et aujourd'hui c'est un homme mais il entend encore la voix de sa mère et tout l'espace libre autour de lui s'en emplit comme autrefois la maison de la rue Finance. La voix de la mère qui tous les dimanches les expédiait à l'église. Elle se servait de sa voix comme d'un gourdin pour chasser tout le monde dehors.

Mais sa dernière visite là-bas c'est un jeudi qu'elle a eu lieu. On avait dressé l'échafaudage pour nettoyer le plafond et le camion de Barclay le diacre était garé devant l'édifice. Transports Barclay Nettoyage & Entretien. La Chorale des Jeunes répétait le jeudi et il savait qu'Adélaïde y serait. C'te nana était craquante même affublée d'un truc sans forme en choriste de gospel. Il l'avait vue le dimanche parce que sa mère avait pleuré, lui avait demandé d'aller à l'église. Car elle savait que c'était lui qui avait volé l'argent dans son sac à main mais il avait menti et dit que c'était pas lui et elle savait qu'il mentait qu'il se sentait coupable et elle savait qu'il irait à l'église pour tenter d'amadouer sa mère. Et l'Adélaïde était là-haut avec la Chorale des Jeunes et leurs gospels ils mettaient le feu. Ouais ça chauffait dans ç't'église et il les rejoindrait direct lui le chef des Commodores et chanterait du gospel avec eux s'il pouvait seulement se populser près de ç'te charmante Adélaïde. Et donc le jeudi soir il avait quitté le billard *Où est-ce que tu files comme ça ? Toi occupe-toi de tes oignons* c'était vers les sept heures qu'elle répétait et Tu sais Adélaïde ça fait un bout de temps que j'en pince pour toi. T'as pas idée depuis quand et à quel point. Mais je vais te dire une chose. Je sais ce que tu penses mais tais-toi me brise pas le cœur répète pas ce que t'as entendu dire sur moi que j'étais un voyou un glandeur pas bon à fréquenter c'est un jean-foutre etc. je sais que j'ai une sale réputation mais t'es assez grande maintenant pour savoir que les gens sont mauvaises langues et qu'il faut pas forcément les écouter. Me rejette pas avant de m'avoir laissé une petite chance de me défendre. Et je vais pas te raconter de salades. C'est vrai que j'ai pas mal traîné et fait un peu les quatre cents coups. *Yeah* moi aussi j'ai joué les frimeurs et j'ai voulu me frotter un peu à la rue. J'étais terrible. J'ai tout fait rien ne m'arrêtait. Je te dis je pourrais te donner la recette. Je connais tout. J'ai joué les macs j'ai fait la fête toutes les conneries la grande vie mais je suis revenu de tout ça. C'est pas ce que j'ai envie. J'ai envie d'un lien spécial d'un truc solide. Une femme pas ces groupies ces nunuches qui tombent raides amoureuses du premier venu et sont toujours à frétiller de la croupe. Mais si je t'assure. C'est pas des médisances je sais de quoi je parle. C'est la vérité que je te dis là ce soir écoute ça fait des années que je t'ai dans la peau et que je t'attends parce que toutes ces conneries tout *ce Doo Wah Diddy* c'est de la daube t'entends c'est nul. T'es grande maintenant et ce qu'il me faut c'est ce que t'as...

Le baratin de ce jeudi-là avec Adélaïde dans l'entrée de l'église de Homewood a été sa dernière visite là-bas. Fallait agir vite et bien. Fondre dessus comme un rapace et direct la mettre en condition. Le mardi elle pleurait encore agrippée à l'élastique de sa culotte et disait Noooon. Le jeudi suivant elle chantait encore mais cette fois c'était au parc et derrière un buisson *Oh, Baby. Oh, Baby, it's so good* (Ah ! mon chéri ! Ah ! mon chéri, c'est le pied !) Ce qu'il lui avait mis dans l'escarcelle à ç'te pucelle.

De toute façon... ç'a changé quoi. Maintenant y a un autre qui la saute. Tous ses trésors se trémoussent encore sous la tunique le dimanche tous les quinze jours quand la Chorale des Jeunes chante là-haut dans la galerie derrière la chaire. Et le Père Barclay comme s'il gardait l'entrée de l'église qui m'a demandé si j'étais venu pour aider au nettoyage. « Monsieur Barclay, j'aimerais pouvoir donner un coup de main mais j'embauche le soir. En fait je suis un petit peu en retard là. Je viendrai quand ce sera mon soir de libre. »

Il savait que je mentais. Le vieux chauve planté là en bleu de travail avec son seau de détergent et sa brosse. Il a trimé toute sa vie il s'est acheté un petit camion il s'est acheté une petite maison et il continue à s'aplatir devant les blancos *Oui m'sieur Non ma'me* à nettoyer leurs chiottes. Alors qu'il a plus de thunes que les trois quarts d'entre eux. Il savait que je mentais mais il m'a fait son petit sourire parce qu'il connaît ma maman et il sait que c'est une brave femme il connaît aussi la grand-mère d'Adélaïde et il savait que si j'étais pas venu ici pour nettoyer mieux valait qu'il garde l'entrée avec sa lessive et sa serpillière jusqu'à temps que je retourne à mes affaires.

Ruchell et sa bande sont là-bas sur un banc. Déjà pétés. C'est pas du tout le genre à rester se faire rôtir la cervelle au soleil à moins qu'y ait eu un truc spécial avant. Ouais à moins qu'y ait eu un truc spécial ils resteraient planqués à l'ombre jusqu'au soir.

« Salut !

— Quoi de neuf, Tom ?

— Eh ! vous, je vous sens tout chauds.

— T'as raison ! chauds de la pince...

— Eh ! Ruchell, t'oublie pas qu'on a un job ce soir.

— Un vrai job, mon pote. Je suis prêt, mec.

— Tu m'as l'air.

— T'en fais pas, on va s'organiser. Je suis prêt je te dis. Prêt, partez ! Ce qu'on va rafler, mon pote... »

Ils marchent depuis une heure. La nuit fraîchit. Un vent fort s'est levé et on aperçoit quelques pâles étoiles au-dessus du linceul jaune des lumières de la ville. Ruchell a pris la parole :

« Je vais te dire pourquoi ça va marcher : les blancos c'est gourmand, tellement gourmands que ça supporte pas de voir les nègres avec qué'qu'chose. T'as vu les yeux d'Indovina quand on lui a dit qu'on avait chopé un camion entier de télés couleur. *Shit man.* J'entendais son cerveau gamberger. Calculer. Ces négros sont débiles. Je te les truande. *Click click* dans sa tête ça fait *click click.* Ouais baiser ces connards de nègres les plumer comme des pigeons. Tu comprends ça fait tellement longtemps qu'ils nous baisent pour eux c'est normal. Ils sont tellement gourmands qu'ils en salivent d'avance dès qu'ils aperçoivent un négro avec un truc bon à voler.

— On le retrouve sur le parking des Occases, c'est ça ?

— C'est le deal. Je lui ai dit qu'on en avait deux pleins fourgons.

— Et Ricky est d'accord que tu prennes le sien ?

— J'ai déjà les clés ! Je t'avais bien dit que du côté de Ricky c'était nickel. Il sera même pas de retour avant le week-end.

— Donc c'est moi qui serai au volant et toi planqué à l'arrière ?

— *Yeah man.* Comme on l'a déjà répété cent cinquante fois. Toi, direction bureau pour fixer les parts, et tu connais Indovina : il va envoyer son nègre vérifier la marchandise.

— Et là tu lui sautes sur le paletot ?

— Direct ! Son Chubby je le neutralise jusqu'à ce qu'Indovina t'ait filé le flouze.

— T'es sûr qu'Indovina va pas essayer de nous suivre ?

— *Shit man.* Il sera content de nous voir calter…

— Avec son fric ?

— Indovina il fait comme tu lui dis. T'auras qu'à lui agiter ton flingue sous le nez deux trois fois. Ce gros lard de blanco est un sans couilles. Ses couilles à lui c'est Chubby. Et Ruchell il s'occupe de Chubby.

— Moi je pense quand même qu'Indovina risque d'aller voir les flics.

— Pour dire quoi ? Qu'il essayait d'acheter des télés volées et qu'il s'est fait rouler ? Je le vois mal expliquer ça aux flics. Au pire il risque de dire qu'il s'est fait cambrioler, pour essayer de toucher l'assurance. Pour ça il est malin. Mais s'il va voir les flics, crois-moi il va pas donner notre signalement. Non. Les flics savent que cette grosse loche de Rital est un escroc. Tout le monde le sait. Y aura pas de problème. On fait le coup et on se casse. On quitte ç'te ville de merde. On fait le coup et hop ! on se tire. »

« Quand t'as rien de rien t'es prêt à tout. Tu t'en fous. De quoi t'as à te soucier ? Ta vie elle vaut rien. Tout ce que t'as c'est la défonce. Te défoncer et passer tout ton temps à gagner trois quatre sous histoire de recommencer. T'es prêt à faire n'importe quoi. Y a plus rien qui compte. Tu prends c'est tout tu prends tu prends tu prends, tout ce qui te tombe sous la main. Très vite y a plus rien qui compte, John. Tu veux à tout prix de quoi te défoncer. Et tout le monde autour de toi pareil. Le reste tu t'en branles. Tu voles une bricole. Et si tu te fais pas choper tu remets ça. Puis un truc plus gros. Tu te dégottes un flingue. Y en a qui se baladent armés. Des tas de mecs dans la rue qu'en ont un sans permis. Alors tu t'en trouves un toi aussi et tu commences à te balader avec. Qu'est-ce que ça fait ? De toute façon t'es dans la merde. T'as rien de rien. T'as rien comme perspective que la défonce. Faut avoir qué'qu'chose dans la vie. Un peu de thunes au fond de sa poche. Tous ces gus autour de toi que tu vois à la téloche et compagnie. Eux ils ont tout. Fringues et bagnoles. Ils peuvent faire plaisir à une femme. Ils ont de quoi. Et toi tu te regardes dans la glace t'es dans l'impasse. Pas un rond en poche. Ta famille tous écœurés. T'es là à mendier auprès d'eux comme un gamin. La taule et jusqu'à ta mère que tu voles. Et là t'es prêt à tout. Tu fais ce qu'il faut. »

De nouveau le vent s'est levé avec la nuit. Au feu Tommy regarde la pub géante sur le boulevard. Une pilsner « Duke » de la brasserie Duquesne : sous le poitrail du duc en grande tenue tout sourire avec sa chope de bière clignotent l'heure et la température. Ricky a installé une platine dans le tableau de bord. Les boyaux à l'air et des tas de fil à pendouiller mais le son est fameux. Un ampli pour la cabine un autre à l'arrière où Ruchell est assis sur les rouleaux de moquette entassés là par Ricky. Al Green chante *Call Me.* Un bricoleur, Ricky. Graver lui-même ses platines ; tuner son fourgon de livraison. L'été venu, Ricky va partir en Californie. Il aménagera la camionnette de façon à pouvoir y vivre. Adroit de ses mains. Mécanicien pendant la guerre. Indemnisé pour le genou pété. Et Ricky dit : Voilà, je m'en suis fait offrir un autre tout neuf. Un sur quatre roues qui va m'emmener où la vie est belle. Et c'est la prime d'invalidité qui a payé la camionnette les agencements la stéréo. Ricky boite toujours mais le bonhomme a su s'organiser.

Une guirlande de fanions marque l'entrée des Occasions. Le vent les fait claquer danser. Des rangées entières de voitures à l'aspect immaculé et neuf sous les projecteurs. Tommy s'est garé sur la rue à l'autre bout du parking illuminé là où c'est le plus sombre. Il les voit par la fenêtre du bureau. Indovina et son nègre.

« Salut, Chubby !

— Où on en est ? »

Chubby est si large d'épaules qu'il bouche la porte. Alors lui c'est vraiment le nègre de son maître. Il a la tête rejetée si en arrière sur le cou on a l'impression qu'il te regarde par les trous de nez.

« *Alora* z'avez la camelote ? » Les doigts d'Indovina pianotent sur le bureau.

« Et vous le fric ?

— C'est pas encore à toi. Je croyais que t'avais dit deux pleins fourgons.

— Je peux pas en conduire deux en même temps. Mon copain se trouve dans une cabine : tenez j'ai le numéro là. Vous me montrez le blé et il apporte le reste.

— Je veux toutes les voir avant de lâcher un sou.

— Écoutez, Monsieur Indovina. C'est pas une arnaque. On a la marchandise, d'accord. Et c'est de la qualité, je vous ai dit. Des Sony. Portatives. Toutes les mêmes... encore dans les cartons.

— Bon, on va voir.

— Moi, je veux voir le fric d'abord.

— Donne tes clés à Chubby. Chubby, va vérifier. Compte-les. Assure-toi que les cartons n'ont pas été ouverts.

— Du blé d'abord, j'ai dit !

— Du blé. Du blé. On est pas ici chez mon cousin DeLuca. C'est lui le boulanger. Moi je travaille pas avec du blé ! Moi c'est l'argent. Tu vois, ce que j'ai là dans la main, c'est de l'argent. Et j'en ai plein, de quoi acheter vos télés, votre fourgon, et toi en prime.

— Je cherche seulement à ce que ce soit réglo, Monsieur Indovina.

— N'oublie pas de vérifier les cartons ! Assure-toi qu'on les a pas ouverts ! »

Quelqu'un a dû se faire descendre. Ruchell ou Chubby l'un ou l'autre. Tommy a entendu deux coups de feu. Il se voit dans la devanture. Un vrai bocal à poissons avec des taches de lumière qui passent glissent. Sauf là où sont braqués les projecteurs, à l'extérieur l'obscurité est impénétrable. Il ne voit rien au-delà de son reflet dans la vitre au-delà de ces traits de lumière qui lui tranchent le corps.

« Éteins, bon Dieu !

— *Ma* si tu me descends tu vas le regretter… si tu me descends tu vas le regretter toute ta vie… si là-bas y a un mort c'est un négro qu'en a tué un autre… si tu me descends moi tu vas le regretter… c'est un Blanc que t'auras tué… »

Le genou de Tommy ripe sur le bureau d'Indovina et dans son élan, de toutes ses forces, il lui claque son flingue en pleine tronche. Il est en train de crapahuter sur le bureau vire les paperasses et tout, il a sous les yeux la chemise blanche du type qui a ses bras velus croisés au-dessus de la tête. Il repense aux coups de feu. Se dit que tout déconne. Les coups de feu, le babtou prostré par terre derrière le bureau métallique. Et lui perché sur le bureau le dos exposé au premier venu à entrer par la porte vitrée.

Puis le voilà en train de courir. Il détale vers l'obscurité. Tellement baissé qu'il en perd l'équilibre et finit à quatre pattes. Le flingue saute de sa main et ricoche en direction d'un mur de pneus. Il entend le froufrou des fanions. Un moteur qui démarre et Ruchell qui l'appelle.

« Comment ça t'as pas le fric ? J'ai zigouillé Chubby et t'as pas le fric ? Putasse de merde ! »

Il a failli encore se croûter à cause du cadavre. D'instinct il a pigé que Chubby est mort. Cuit comme la semelle de ses pompes. Il aurait fallu qu'il s'arrête ; qu'il tente de le secourir. Mais le corps est inerte. Il est incapable de toucher…

Ruchell tremble et chiale. Il a les yeux noyés de larmes et Tommy se demande si Ruchell voit vraiment où il va si Ruchell se rend compte qu'il conduit comme un fou qu'il zigzague sur la chaussée et slalome entre les bagnoles. Ça klaxonne de partout. Puis c'est reparti pour Al Green. Tommy sait pas qui a appuyé sur le bouton ni quand ni comment mais y a Al Green à fond la caisse à l'avant du fourgon. *Help me Help me Help me…* (Au secours au secours au secours…)

Jesus is waiting (le Christ attend)… Il empoigne la platine à deux mains pour baisser le son, éteindre ou arracher de la machine cette putain de cassette.

« Moins vite ! Roule moins vite ! On va se faire pincer. »

Il ouvre sa vitre. L'air de la nuit lui cingle la face. L'enregistrement va se perdre dans le bourdon du silence. Les bruits de la circulation et ceux de la ville reviennent investir, envahir la cabine.

« Que dalle ! Pas un rond ! J'ai buté le mec et on a quoi ? Que dalle ! »

« À partir du fourgon ils sont remontés jusqu'à Ricky. Ricky a dit qu'il était en voyage. Il leur a raconté qu'il s'était fait chourrer son fourgon alors qu'il était déjà parti. Il a prétendu qu'il s'en était même pas rendu compte avant que les flics débarquent chez lui. Il est cool Ricky. Il est timbré je sais mais il est cool. Indovina vise contre nous la peine de mort. Il parle de braquage à main armée. Il dit que Chubby a essayé d'aller chercher du secours mais que Ruchell l'a abattu. Quand on y regarde de près son histoire tient pas debout mais qui est-ce qui va nous écouter ?

— Alors tu vas continuer ta cavale ?

— Bien obligé. On va essayer d'atteindre la côte ouest. Ruchell connaît un mec là-bas qui peut nous filer des faux papiers. De toute façon c'est là-bas qu'on allait. Avec notre magot. On allait se trouver du boulot et essayer de s'organiser. Essayer pour de bon. On avait simplement besoin d'un peu de pognon pour démarrer. Je sais pas, John, pourquoi il a fallu que ça se passe comme ça. Ruchell a dit que Chubby a fait de la provoc. Qu'il avait un flingue dans son falsa. Ruchell lui a dit de se calmer au lieu de jouer les héros, il l'a mis en joue etc. mais il a fallu que l'autre s'entête, qu'il fasse son John Wayne ou je ne sais qui. Il a traité Ruchell de lopette, qu'aurait pas les couilles d'appuyer sur la gâchette. Mais Ruchell, lui, il joue pas. Quand Chubby a voulu dégainer, Ruchell l'a explosé.

— Et tout cela, crois-tu avoir de quoi le prouver ?

— Je sais pas, John. L'histoire d'Indovina tient pas la route mais j'ai entendu dire que les flics avaient pas retrouvé le flingue de Chubby. Si seulement ils pouvaient. Mais ce sale blanco d'Indovina c'est un malin. S'il a retrouvé le revolver, y a longtemps qu'il l'a balancé au fond de l'Alleghany. Par contre ils ont retrouvé le mien. Couvert de mes empreintes. Non. Je peux pas prendre le risque. Même si moi j'ai tiré sur personne c'est quand même meurtre avec préméditation. Et s'ils croivent les salades d'Indovina c'est les durs, et pour un bail. Non, je peux pas prendre le risque…

— Fais attention, Tommy. T'es en fuite. Les flics par ici se prennent pour Wyatt Earp et Marshall Dillon. Ils commencent par tirer et peut-être après posent-ils des questions. Ça joue encore au Far West par ici.

— J'entends ce que tu dis mais j'aime mieux tenter ma chance à ma façon. Je préfère qu'on me mette dans un cercueil plutôt que de retourner en taule. C'est dur là-bas, frangin. Sacrément dur. Je suis content de ta réussite. Y en a au moins un de nous qui s'en est tiré.

— Réfléchis. Prends ton temps. Tu peux rester ici tout le temps qu'il te faut. La maison est grande.

— Non, faut qu'on y aille. Passer voir le cousin de Ruchell à Denver. Nous faire un peu de thunes avant de filer vers la côte.

— Si c'est vraiment cela que tu dois faire, je te donnerai ce que je peux. Mais la nuit porte conseil. Reparlons-en demain matin.

— C'est sympa de te revoir, frérot. Avec les gamins et ta femme. Au moins on aura passé la soirée ensemble. La cavale, y a de quoi devenir fou.

— On a tous été contents de te voir. Je savais que tu viendrais. Depuis hier je n'arrêtais pas de penser à toi. Sur le coup je t'ai écrit une sorte de lettre. Oui, je savais que tu viendrais. Mais il faut que tu dormes un peu... on reparle de tout ça demain matin.

— Écoute, John, je m'excuse d'avoir été obligé de venir ici comme ça. T'es sûr que Judy m'en veut pas trop ?

— Ça ne pose aucun problème, je te dis. Elle est aussi contente de te revoir que moi... Et tu peux rester... tous les deux on a envie que tu restes.

— La cavale, y a de quoi perdre la boule. Depuis le moment où je me réveille le matin jusqu'à l'heure du lit, j'ai qu'une idée en tête : m'échapper. Ça tourne pas tout à fait rond là-haut depuis que tout ça c'est arrivé.

— C'était quand la dernière fois que tu as parlé aux parents ?

— Y a une quinzaine de jours. Les flics ont probablement mis tout le monde là-bas sous surveillance. Peut-être même que toi aussi ils t'ont à l'œil. C'est pour ça que je peux pas rester. Faut qu'on bouge, jusqu'à ce qu'on ait atteint la côte. Je m'excuse, John. Tu sais, au départ, personne devait mourir. C'était facile. Le plan parfait. Le voleur volé. On fait le coup et on se casse, comme disait Ruchell. Pour nous c'était l'occasion ou jamais et fallait la saisir. Mais c'était pas prévu qu'y ait des victimes. Je serais mort à ç't' heure si c'était sur moi que Chubby avait dégainé. Moi j'aurais pas pu le regarder là en face et l'exploser. Mais Ruchell, lui, il joue pas. Et aussi tout le monde à la maison. Je sais ce qu'ils doivent ressentir. On en a parlé partout, à la télé, dans les journaux. Avec nos noms, nos adresses et tout. Et en plus dans le journal local nos gueules prises au gniouf. On aurait dit deux gorilles. Je sais que ça leur fait mal. Tiens, j'aurais préféré que ce soye moi. Peut-être ç'aurait été mieux. Maintenant je m'en fous de ce qui peut m'arriver. Si seulement y avait moyen de pas infliger ça à Maman et à tout le monde. Ce serait plus facile si j'étais mort.

— Personne n'a envie de te voir mort… C'est surtout de cela que Maman a peur. Elle a peur de te voir revenir les pieds devant.

— Je retourne pas en cabane. Faudra qu'on me tue avant que je retourne en taule. *Hey, man.* Je raconte n'importe quoi. T'as pas envie d'entendre toutes ces conneries. Je suis fatigué, *man.* J'ai jamais été aussi fatigué… je vais dormir… on reparle demain matin. Mon grand frère. »

Il sent son frère lui presser l'épaule avant de relâcher son étreinte. Il l'a déjà vu pleurer une fois. Il n'a pas envie de renouveler l'expérience. Trop de têtes connues dans le visage de son frère. À commencer par leur mère, jusqu'aux ascendants et aux collatéraux, et c'est tout Homewood qu'il y retrouve s'il regarde le temps qu'il faut. Pas simplement des têtes mais des rues des histoires des maisons des chansons.

Tommy écoute le bruit des pas. Il entend vaguement grincer un lit à l'étage. Puis plus rien. Ruchell dort ailleurs dans la carrée. Ruchell a passé la soirée en compagnie des gamins à jouer avec leurs jouets. Ce mec il ne grandira jamais. Lui c'est encore Arriva Durango, Whip Wilson et Audie Murphy dégommant les Japs etc. C'est encore samedi après-midi au Cinéma Belmawr : il aligne les petits cow-boys face aux petits Indiens et que je te les *boum boum* avec les gosses couché par terre dans la salle de jeu. Et on habille le Justicier Solitaire le masque les fusils on sangle la selle sur Silver. Des jouets qu'on faisait pas encore quand nous on grandissait. Et le matin de Noël y en a une telle montagne ils en auront pas déballé la moitié qu'épuisés énervés ils en pigneront déjà. Le matin de Noël et ils ont pas vraiment dormi. Ils ont passé la nuit à guetter par les fenêtres toutes noires l'arrivée du rêne et compagnie. Tricheurs. Ils ont peur que tous les cadeaux partent en fumée s'ils se font pincer mais ils ont besoin de savoir, de voir si les rênes c'est vrai que ça vole.

ISOLEMENT

Pour atteindre l'autre monde, l'au-delà, il faut changer deux fois de bus. Un premier jusqu'au centre, d'où on en prend un autre en direction de Northside. Il traverse le Triangle d'Or, franchit le Pont de la Sixième Rue, puis on arrive sur Reed à Northside où on en attend (ils sont rares) un direct, via le boulevard de l'Alleghany, pour la prison. Si on a tout de suite les communications, une heure trois quarts dans chaque sens peut suffire mais en général elle met une journée entière à se rendre là-bas et à en revenir : entre ces attentes sans fin à peine le temps de voir son fils. Parce que la prison se situe bel et bien dans un autre monde. Ce qu'elle n'a pas compris au début. Elle arrivait là-bas avec sa conception normale des relations humaines, son sens du bien et du mal, et de l'équité. Mais rien de tout cela ne cadrait. La prison bafoue ses convictions. Aller voir son fils, c'est moins couvrir une certaine distance qu'apprendre à découvrir la nature hostile du terrain qui sépare son fils d'elle, apprendre qu'il sera toujours infiniment proche, infiniment lointain. Le temps d'un battement de cils, le temps qu'une porte métallique claque derrière elle, et le voilà de nouveau disparu, reparti à cent mille lieues, et aussitôt l'autre monde, cet au-delà de béton gris, vient l'encercler, la coupe de son fils, enfermé, aussi brutalement que les murs de la prison.

Un dimanche, alors qu'elle effectue à pied le kilomètre et demi séparant le portail de la prison de l'îlot bétonné, sans aubette, qui sert d'arrêt de bus et où elle va rester plus d'une heure transie sous la pluie glaciale de novembre, elle comprend que les épreuves associées aux visites à son fils ne relèvent pas du hasard. Le trajet doit lui transmettre un message explicite. Quelqu'un en a ainsi décidé. Un esprit malveillant qui ne rate rien. Elles disent, ces expéditions en bus : pour arriver jusqu'à lui, il te faut souffrir, affronter la chaleur et le froid, rester assise toute seule assaillie par tes pensées, oublier qui tu es et accepter d'abandonner ta dignité tout comme tu abandonnes ton sac au gardien posté dans sa cage à l'entrée de la salle d'attente. Dans le monde de la prison, le monde où tu n'entres qu'à condition de mourir un petit peu, l'homme que tu es venu voir au prix d'un si long voyage n'est pas ton fils mais un numéro. C'est le P3694 et tu dois attendre, sur un banc de bois dans une pièce crasseuse, qu'on appelle ce numéro. Après quoi il te faut franchir des portes métalliques, des barreaux de fer, des détecteurs qui lorgnent sous tes vêtements. Tu montes, tu descends, tu traverses un long passage pavé, sombre et froid même en été, et te voilà à l'intérieur, et alors plus rien de ce que tu as apporté de l'extérieur ne compte. Ni ton nom ni ta douleur ni ton amour. Pour entrer, tu dois accepter de tout laisser derrière toi et accepter quand tu retournes chez toi de tout reperdre.

Tel est le voyage qu'elle doit entreprendre pour le voir. Ce n'est pas une question d'autobus ou d'heures d'attente, c'est son être même qui se défait. Sur le chemin du retour elle doit se reprendre, se calmer, faire comme si l'endroit où elle s'est rendue n'existait pas, comme si ce qui l'entoure pendant que le bus remonte le boulevard était tout ce qu'il y avait de plus réel et de plus normal, faire comme si le centre commercial, les usines, les entrepôts bordant de chaque côté le boulevard de l'Alleghany correspondaient à une fonction utile et rationnelle, au lieu d'être là uniquement pour se moquer d'elle, railler son impuissance. Petit à petit, au fil des mots, la foi revient. Ce bus-ci va m'amener jusqu'à Reed. Un autre va franchir le pont vers le centre-ville. Puis je vais prendre le 88 qui va traverser Parkway et me déposer à cinq rues de la maison. Et là, une fois rentrée, je vais pouvoir m'asseoir dans le fauteuil marron, prendre un café et m'endormir plus ou moins devant une ânerie ou une autre à la télé, mais rien de ce que je fais, aucun de ces petits mensonges qui m'aident à rentrer jusqu'à la maison ne le blesseront ni ne le renieront. Parce que lui, il est dans un autre monde, un monde situé derrière des murs de pierre plus hauts que la miséricorde divine.

C'est parfois ce qu'elle se dit, elle se dit que la prison est un endroit abandonné du Dieu auquel elle croit. Mais s'Il n'est pas présent là-bas, si Sa grâce ne touche pas son fils, alors elle aussi elle vit dans l'ombre du manque d'amour. Si elle, elle peut effectuer le voyage jusqu'à la Vallée de l'Ombre, Lui Il devrait bien pouvoir franchir les murs de pierre et rendre Sa présence manifeste. Il lui faut parfois des semaines avant de trouver la force d'aller là-bas. Elle connaît le prix à payer : les nuits blanches, la fureur et l'impuissance, l'épuisement total dont elle tremble avant comme après le voyage. Ces larmes qu'il lui faut refouler quand elle voit le visage de son fils, entend sa voix. Tassée dans un coin du bus, se détournant des autres, elle se sent tour à tour coupable et révoltée. Pourvu que les autres ne voient pas ses secrets, ne rient pas de sa honte, ne se brisent pas sous les vagues de haine se déversant de son cœur glacé. Elle sait que sa tension va monter en flèche et les spasmes de vertige, de nausée auront presque raison d'elle. Il lui faut des semaines pour s'y préparer, puis des semaines pour s'en remettre, avant de trouver la force de commencer à envisager une nouvelle expédition, et pourtant elle prend tous ces bus, marche tous ces kilomètres, attend toutes ces heures. Non, les murs ne sauraient être trop hauts pour Lui, ni trop épais. Il pourrait venir sous la forme d'un nuage, d'un souffle purificateur.

La prison s'élève au bord de l'Alleghany. Elle se demande si les hommes voient la rivière depuis leurs cellules. Elle a pensé interroger Tommy. Et si son fils l'apercevait, serait-il conforté de sentir l'eau couler là tout près, ou l'inverse. Au printemps la berge qui descend derrière la clôture métallique du parking des visiteurs reverdit. La première fois qu'elle a remarqué cela en s'arrêtant sur la bande de goudron et de gravier qui sépare le mur extérieur de la clôture métallique édifiée sur trois mètres de haut le long de la rivière, elle s'est dit que cette verdure, ce n'était pas juste, c'était absurde. Une frange de vert bordant cette rivière brune, elle-même tout aussi absurde, tandis qu'elle se mouche. Elle était là à regarder l'étendue des eaux : rien ne bouge. Son poing serre un mouchoir en papier, la rivière brune et silencieuse passe, glisse, mais rien d'autre n'a de réalité. Tout est si immobile et silencieux qu'elle s'imagine avoir chuté hors du temps, dérapé dans un vide situé entre les mondes, un lieu inconnu, insongé jusqu'alors, une mince fissure entre deux mondes qui se trouve être vide et muette, plus immense encore que ces deux univers.

Le vert est sectionné par les barres de la clôture. Entre les fers de lance, des bouquets de pointes rivées au barreau supérieur étincellent au soleil. Ciel bleu, rivière brune, herbe verte. La brise en provenance de l'eau est murmure printanier et promesse d'été mais Dieu laisse Son soleil jouer sur ces couronnes de piques acérées. Vers le haut du mur elle aperçoit une rangée de fenêtres, profondément encastrées, plus sombres encore que les pierres noires de suie. Si Tommy se tient debout à l'une de ces fenêtres grillagées, voit-il la rivière, la verdure, le gouffre gris où elle-même a dérapé ?

Une péniche charbonnière fait mugit sa sirène. Elle remet son mouchoir de papier dans son sac. Elle croit entendre les hommes derrière les murs et l'écho de leurs voix, les voix lointaines d'une caverne, ou au fond d'un tunnel, un murmure confus et désordonné d'où émerge, angoissante et solitaire, une voix qui semble lui chuchoter à l'oreille. Si elle pouvait, elle s'enfuirait de la cour. Ces voix la haïssent. Elles crient des obscénités et la tournent des pieds à la tête en ridicule. Elle n'a pas la force de courir et si elle l'avait elle ne le ferait pas car ils en profiteraient pour redoubler de sarcasmes et dans sa fuite vers l'arrêt de bus elle aurait toute la meute sur les talons.

De l'entrée des visiteurs à l'arrêt de bus, il y a à pied un bon kilomètre et demi. Une rue sans nom longe l'un des murs de la prison, tout noir, puis traverse en diagonale une grande étendue sans rien, plate et nue, avant de venir couper le boulevard de l'Alleghany. Depuis l'arrêt de bus elle regarde derrière elle le vide qui entoure la prison. Les murs sombres se dressent, abrupts, austères. Tout comme la berge verte de la rivière, les murs n'ont aucune raison d'être là, rien ne les relie à cette plaine poussiéreuse de béton. Les murs sont là, point, comme le couvercle d'un gril rabattu par quelque main géante. C'est absurde mais c'est là et personne ne peut le déplacer, personne n'essaie de déranger cette masse noire, même si son fils dessous est en train de mourir.

This is the church and this is the steeple. Open the doors and out come the people./Voici l'église et voici le clocher. Ouvrez les portes et les gens sortent. Elle laisse ses mains mimer ses pensées. Ses doigts frétillants sont des fourmis qui se bousculent, se disputent une part de soleil.

Le Dieu qu'elle adore a rasé les fiers remparts de Jéricho grâce au cri de simples trompettes. Alors elle laisse retomber ses mains le long du corps et ferme les yeux, mais quand elle les rouvre les murs sont toujours là.

À bord du premier des bus qui la ramènent à Homewood, elle essaie de réfléchir à ce qu'elle dira aux autres. À ce qu'elle leur dira lorsqu'ils demanderont : Comment va-t-il ? Devra-t-elle répondre qu'il est à cent mille lieues ? Que son nom n'est pas le même dans l'autre monde ? Qu'il est plus corpulent, plus épais des épaules, mais que flottant dans sa tenue de prisonnier il ressemble à un petit garçon ? Devra-t-elle dire que l'amertume de son fils envers elle s'adoucit ? Ou alors est-ce elle qui désormais souffre moins de la colère du fils pour la simple raison qu'elle a écouté mille fois ses accusations ? Il dit avoir revécu chacun des instants de sa vie. Il en réexamine chaque journée, s'interroge, reconstitue les faits, juge de ce qu'il aurait dû faire, analyse ses actes et ceux des autres envers lui. Et dans l'histoire de sa vie qu'il ne cesse de recomposer en rêve, elle n'a pas le beau rôle. C'est de sa faute : elle et son amour, ses hantises... Elle l'a trop tenu en bride, ou trop laissé la bride sur le cou ; avec ses questions incessantes, ses larmes à la moindre incartade, elle l'a fait se noyer dans un océan de culpabilité, ou alors n'a jamais su lui prêter ce qu'il fallait d'attention. Ces mots blessants la démolissent. Elle ne tente plus de se défendre, comme paralysée. La voix accusatrice s'estompe de sa conscience et son esprit gagne un lieu plus calme, plus sûr. Elle part dans ses rêves et se libère, échappe à l'étouffante toile d'araignée de toute cette amertume. Elle veut lui demander pourquoi d'après lui elle entreprend ces voyages épuisants. Pense-t-il qu'elle recherche les coups de fouet ? Pense-t-il avoir le droit de passer sur elle ses frustrations, simplement parce qu'elle est la seule disposée à écouter, à parcourir les cent mille lieues la séparant de l'endroit où on le garde en cage ? Mais elle ne pose pas ce genre de questions. Elle écoute jusqu'à ce qu'elle parte ailleurs, dans un monde lourd et sourd où rien ne peut la toucher. Si ce dont il a besoin, c'est quelqu'un sur qui crier, alors que ce soit elle !

Elle ne racontera rien de tel quand on lui demandera : Comment va-t-il ? À l'arrêt de bus de la rue Reed elle répète ce qu'elle dira, ce qu'elle dit toujours : *Mieux. Ça va mieux. C'est un endroit horrible mais ça va mieux.* Tôles ondulées et panneaux de plastique transparents forment un fond et un demi-toit incliné qui ferment en partie la plateforme du quai. Dans le vacarme des vagues de voitures qui viennent la ballotter, elle a l'impression d'être debout dans un coquillage. Mais ce matin il n'en passe qu'une de temps en temps. Partout en ville on arrache les anciens rails de tramway et on en goudronne les pavés mais de ce côté-ci de la rue tout ce qui se déplace y bringuebale encore comme à deux doigts de se disloquer. Elle est seule, avant qu'un jeune traverse la rue et la rejoigne sur le quai. Son transistor est gros comme une valise et la musique fait vibrer la tôle du toit de l'aubette. Maigre comme Tommy l'a été. Un clou, une asperge, un grand échalas comme son fils Tommy et comme lui le jeune se pavane quand il marche et, quand il reste sur place, il danse au son de la musique.

À présent Tommy s'appelle *Salim.* Elle leur a dit son nouveau nom mais n'a pas de mots pour ce qui est arrivé à ses yeux, à ses pommettes, aux ombres creusées de sa figure. En elle-même elle se dit que les yeux de son fils se consument, que sa peau flambe, que les os de son visage ne sont pas durs et blancs mais de la braise sous la peau : le feu brûle avec le coupant d'un couteau, la peau s'accroche aux pointes enflammées et, dans les creux ténébreux de sa figure, sous la peau brune brille d'un éclat noir le feu. Ses yeux crient à l'adresse de sa mère. Il a mal d'être ce qu'il est, où il est, mais lui non plus n'a pas de mots pour l'exprimer. Seulement la perpétuelle incandescence de sa chair, le cri de ses yeux.

« Il est plus fort beaucoup plus fort. Cette histoire de conversion à l'islam et ce nouveau nom me font peur mais pour lui c'est quelque chose à quoi s'accrocher. Ils ont formé leur petit groupe. Ça lui donne une chance d'être quelqu'un. Évidemment il y a des jours sans. Surtout maintenant que le temps devient agréable. Oui, il y a des jours où ça va moins bien mais il ne se laissera pas abattre. Il tiendra. »

Voilà ce qu'elle dira. Chaque fois qu'on lui demande des nouvelles de lui, elle répond par ces mots-là. Elle les répète cent fois, jusqu'à être sûre et certaine d'y croire, sûre et certaine de leur réalité.

Le voilà depuis six semaines maintenant à l'Unité de modification du comportement. Six semaines sur les six mois de régime cellulaire qu'on lui a infligés. Ça s'appelle l'U.M.C., le Trou. Pour elle c'est une prison à l'intérieur d'une prison. Quelque chose d'encore pire qui se produit alors qu'elle croyait avoir vu le pire.

Vingt-trois heures par jour bouclé dans sa cellule. Quarante-cinq minutes d'exercice dans la cour s'il se trouve un gardien ayant le temps de le surveiller. Sinon, tant pis pour lui. Vingt-quatre heures seul dans une boîte de trois mètres sur deux mètres cinquante. Un repas à onze heures, l'autre à quatorze. *Si on peut appeler ça des repas, Maman.* Puis rien jusqu'au suivant à onze heures, hormis du café et un quignon de pain lorsqu'on le réveille. Deux repas en l'espace de trois heures puis rien à manger au cours des vingt et une suivantes. Une prison à l'intérieur d'une prison. Une façon de lui dire à lui, et à elle aussi, de ne jamais se détendre, de ne jamais se plaindre parce que la situation pouvait toujours empirer.

Au lieu de rester dans le dernier bus jusqu'au bon arrêt pour elle, elle descend au carrefour de Frankstown et de Homewood. Ils se sont tous deux levés quand le gardien du parloir a appelé le numéro. Tommy l'a prise dans ses bras, serrée contre lui, rapprochée le plus possible des brasiers qui le dévoraient. Puis il s'est détourné d'elle, traversant la salle au sol balafré, en direction de la porte métallique par où il était entré. Il ne s'est pas retourné pour la regarder. L'odeur de son fils, la chaleur, la force de ces bras qui soudain l'entouraient lui ont coupé le souffle. Elle avait envie de revoir son visage, a failli hurler vers ces épaules qui sont à présent celles d'un homme et dont l'arrondi descend vers ces bras, ces longues mains qui pendent, ces fesses rondes et compactes, ces jambes sans fin avec, au bout, les chevilles nues qui dépassent du pantalon réglementaire, toujours trop court. Elle croyait que rien ne pourrait faire plus mal que cette colère refoulée qu'il lui crachait à la figure mais elle s'est trompée. L'étreinte faisait encore plus mal. Ces bras qui l'aimaient faisaient encore plus mal. Et quand il a viré sur les talons comme un soldat et s'en est allé les yeux droit devant, le bras rectiligne, le pas raide et brutal, elle s'est sentie infiniment plus seule que lorsqu'il tempêtait.

Et donc elle descend du bus au carrefour de Frankstown et de Homewood parce qu'elle n'a pas envie d'être seule, de refermer sa porte derrière elle, d'entendre les chaînes et les verrous s'enclencher au milieu du silence, d'embrasser le vide qui lui sautera au visage et l'assaillira comme le vent plein de poussière et de détritus courant sur l'étendue déserte devant les murs de la prison.

C'est la rue de Tommy, son fief. Par une chaude nuit d'été, on y a mis le feu. L'avenue de Homewood pillée, incendiée, si bien qu'entre Hamilton et Kelley ce n'est plus qu'un désert de terrains vagues, de fondations noircies et de barricades délabrées dont les planches protègent les cratères où naguère vivaient des magasins. C'est la même avenue où son Papa à elle a déambulé. Plus grand que les bâtisses, avec son tube à bords mous. John French le gros bonnet, en train de rouler les mécaniques comme si Homewood lui appartenait, et les soirs de réussite c'était probablement le cas, oui, à en croire toutes les histoires qu'elle a entendues sur son compte, sans doute que Homewood lui appartenait en effet. Son père, ses fils, l'homme qu'elle a épousé, tous ont arpenté cette avenue, et donc elle descend avant son arrêt parce qu'elle n'a pas envie d'être seule. Ses hommes marcheront à côté d'elle. Elle pourra lécher la vitrine du Bazar Murphy ; écouter la musique se déversant par la porte ouverte de la Barre de Cuivre et de Chez Porgy, le disquaire ; jeter un œil aux photos en technicolor annonçant les prochains films au Bellmawr. Elle peut tout entendre et tout voir et se promener accompagnée de ses hommes même si les devantures se trouvent barricadées, quand elles ne sont pas abattues ou changées en boutiques inconnues et crasseuses, et même si ses hommes ne sont plus là, pas un seul, pas un.

De l'autre côté du carrefour de Homewood et de Kelley s'élève, robuste et massive, faite de briques et de pierres, l'église de Homewood. Elle songe un instant à traverser. À gravir les marches de ciment, à pousser la porte rouge. Elle sait qu'elle y trouvera le silence et qu'au bas de la nef au tapis violet elle pourra tomber à genoux en un lieu connu d'elle, et que son Dieu écoutera. Que si elle laisse son orgueil dans la rue dévastée, renonce à la haine et remet à plus tard ses questions, Il la prendra sur Son cœur. Il la baignera dans la fontaine de Sa grâce, comprendra, applaudira. Oui, elle songe un instant à descendre du trottoir défoncé et à courir entre Ses bras mais cet après-midi l'imperturbable église rachetée aux Blancs quand ils ont commencé à fuir Homewood reste étrangère au quartier. Et elle la regarde comme elle a regardé la prison et la berge verte de la rivière. Il a forcément tout prévu pour que son existence à elle ou celle de n'importe qui d'autre ait un sens. C'est obligé, Il a tout prévu. Elle y croit et croit que le grand dessein divin révélera Sa bonté mais en ce jour interminable elle ne voit que des lacunes et des trous, de l'incohérence, de l'absurdité.

À présent elle sait qu'elle se dirige vers le parc. L'avenue de Homewood avec ses fantômes et ses souvenirs n'est pas ce qui l'a poussée à descendre trop tôt du bus. Cette avenue n'est qu'un moyen de se rendre quelque part et à l'évidence maintenant elle avance, oui, en direction du jardin public.

Elle prend à gauche dans Hamilton, où autrefois passait le tram. Puis elle longe la bibliothèque où le nom de son grand-oncle, Elmer Hollinger, est gravé sur la plaque de bronze noirci, en compagnie des autres citoyens de Homewood anciens combattants de la Première Guerre mondiale. C'est que la famille ne date pas d'hier. Ni d'avant-hier quand on écoute May et Gert parler du temps où vivaient à Homewood ours et chats sauvages et où l'arrière-arrière-grand-père Charley Bell avait été le premier à y abattre un arbre. Elle dépasse la bibliothèque puis traverse Hamilton et remonte la butte le long de l'ancienne école de Homewood. Le bâtiment dans lequel elle a commencé son primaire tient toujours debout. Des excroissances hâtives et des baraquements provisoires masquent très largement les vieux murs mais son école est toujours debout. Quelque part elle a une photo du cours élémentaire, toute sa classe étagée sur l'escalier principal, entre les épaisses colonnes qui soutenaient le porche de l'ancienne école. Les visages blancs plus nombreux que les noirs à l'époque ; longues robes à tablier et col raide ; elle, c'est une tache claire au bout d'un rang : impossible de deviner qu'elle est noire à moins de regarder de très près, et encore. Personne ne sourit, pourtant dans son souvenir ce sont des jours heureux, insoucieux, des jours aussitôt oubliés en sorte que chaque matin on avait l'impression de recommencer sa vie, d'avoir devant soi une page vierge, de tout voir d'un œil neuf. Elle longe la cour de l'école où il y en a toujours en train de jouer au basket, puis la piscine municipale laissée à sec depuis des années, vaste dépotoir qui, l'été, empeste jusqu'à l'autre bout du quartier. Au sommet de la butte une passerelle donne accès au jardin public par-dessus la voie ferrée. Juste dessous, côté parc, une maisonnette sur un quai : c'est là, dit-on, que les trains s'arrêtaient pour George Westinghouse. Sa gare personnelle et tout train auquel ses gens faisaient signe avait intérêt à s'arrêter le prendre. C'était comme un roi, apparemment. La moitié de Pittsburgh lui appartenait. Le parc était à lui. Les deux bâtiments blancs où les services de l'entretien entreposent leurs outils et leur tracteur servaient autrefois d'écurie et d'habitations pour ses domestiques. Le parc s'appelle Westinghouse parce que le grand homme l'a légué à la ville. Les gamins ont cassé toutes les vitres de la maisonnette. Elle-même n'a jamais connu là qu'une coquille vide, aveugle et saccagée, une chose morte au bord de la voie ferrée.

Du haut de la passerelle elle peut embrasser du regard tout le parc : les allées gravillonnées qui le partagent en secteurs ; le grand creux le long de la rue d'Albion ; l'aire de jeux au sol brun plus haut près du chemin de fer ; les bancs de pierre ; et tout au fond les bâtiments chaulés. Malgré les grands arbres qui lui bouchent la vue, elle distingue tout en détail. Elle vient au parc depuis qu'elle est toute petite : elle peut le voir les yeux fermés.

De la passerelle, l'herbe semble d'un vert uni, un doux tapis ininterrompu comme dans ses rêves quand elle venait avec sa mère, ses sœurs et son frère s'asseoir sur les pentes raides du vallon. Les dimanches d'été, tout de blanc vêtus, ils étalaient des couvertures sur l'herbe et regardaient les autres courir d'un bord du trou à l'autre avec des cris d'Indiens, et au fond, par où tout le monde passe, il ne reste plus un brin d'herbe. Elle s'était demandé pourquoi sa mère les habillait de blanc puis leur interdisait formellement de se salir. Elle jalousait les autres, qui faisaient les fous et roulaient sur les pentes. Le dimanche c'est le jour du repos, disait sa mère, le jour de la paix du Seigneur, alors elle les habillait de blanc et en route, par la rue Tioga, jusqu'au parc, avec sous le bras des couvertures roulées. Sa mère lisait les suppléments illustrés du journal dominical, regardait les adultes crâner au long des allées et suivaient ses enfants à la trace dans tous leurs faits et gestes. Maman a des yeux de lynx, chuchotait son frère. *Elle a des yeux dans le dos.* Mais tôt ou tard il réussissait à s'échapper, juste le temps de récolter des taches vertes sur le genou ou sur les fesses, et ses sœurs, elles, avaient juste le temps de voir un éclair blanc traverser le tourbillon de corps bruns au fond de la cuvette. Alors aussitôt elle houspillait son frère Carl et se joignait à sa mère qui le sommait de revenir. *À courir comme un imbécile avec cette horde de païens.* Parfois elle mourait d'envie de dégringoler et de rouler sur l'herbe du versant mais il y avait aussi des moments, comme en suspens avec ses sœurs sur les nuages calmes et blancs de leurs robes, où elle savait que rien ne pouvait surpasser la paix qu'elles partageaient à l'écart des autres, avec pour chacune son joli coin d'azur.

Elle appelle son frère par la porte ouverte de la Barre de Cuivre. *Carl, Carl.* Sa voix se perd dans le maelström de musique et de conversation qui peuple la pénombre. Une odeur rance de bière, de pisse et de désinfectant bouche l'entrée. Son frère Carl est au fond du bar, il parle à la serveuse. Il est assis le dos voûté, les coudes posés sur la barre de chrome et ses longues jambes s'enracinent dans l'obscurité au pied de son tabouret. Il ne l'entend pas l'appeler encore une fois. Les vagues de puanteur qui déferlent par la porte des W.-C. Hommes lui donnent la nausée et elle se souvient qu'elle n'a rien avalé depuis son café du matin. Elle sursaute quand une voix, juste derrière la porte, crie le nom de son frère.

« Carl. Hé ! Carl. On t'appelle. »

Son frère se tourne vers la porte, fronce les sourcils, la reconnaît, sourit et commence à descendre de son tabouret.

« Salut, ma grande. J'arrive. »

Il ressemble chaque jour un peu plus à leur père. Grand comme lui et chauve sur le dessus comme John French, et même dans sa façon de bouger on dirait leur père. Tout en douceur, le pas traînant, chaloupé, d'un costaud. Un homme qui marche doucement parce qu'en général on a le bon sens de s'écarter de son chemin. Un grand gaillard glissant sûrement mais lentement, comme John French le faisait en son temps dans les rues de Homewood parce qu'il voulait laisser le bénéfice du doute à ce qui ne pourrait s'écarter de son chemin tout à fait aussi vite que le reste.

« Est-ce que tu aurais le temps de faire un tour avec moi ? De marcher avec moi jusqu'au parc ?

— Bien sûr, ma grande. Bien sûr que j'ai le temps de faire un tour avec toi. »

Est-ce qu'il parle comme John French ? Est-ce que sa voix ressemble de plus en plus à celle de leur père ? Elle se rappelle certains des mots qu'il aimait prononcer. L'entend rire, entend sa toux affreuse en provenance du salon l'année où il était assis, mourant, dans son fauteuil préféré. Ces bruits font partie d'elle, à jamais, mais bizarrement elle ne retrouve plus la voix de son père quand il parlait. Si Carl lui ressemble un peu plus tous les jours, peut-être qu'elle réapprendra le son de cette voix.

« Je viens d'aller voir Tommy.

— Pas besoin de me le dire. Il m'a suffi de regarder tes yeux et j'ai tout de suite compris où tu étais allée.

— C'est trop dur. Des fois je n'y arrive plus. Je me dis que j'aimerais mieux mourir que d'aller là-bas.

— Il faut se détendre maintenant. On va faire un petit tour. Tommy sait comment tenir le coup là-bas à l'intérieur. Et toi, tu dois apprendre à tenir le coup ici à l'extérieur. As-tu pris tes médicaments aujourd'hui ?

— Oui. J'ai avalé ces horreurs de cachets ce matin avec mon café. Pour le bien que ça me fait.

— Tu sais que tu es malade comme un chien quand tu ne les prends pas. Ce sont eux qui te maintiennent en vie.

— Tu parles d'une vie ! À quoi bon ? J'étais presque arrivée au jardin public. Je suis allée jusqu'à la passerelle mais j'ai dû faire demi-tour et rebrousser chemin. J'avais envie d'entrer dans le parc et de m'y asseoir pour me calmer mais je me suis arrêtée à mi-chemin sur le pont, incapable de faire un pas de plus. Je ne sais pas ce qui m'arrive, Carl. J'étais là, à trembler, incapable d'avancer.

— Ce n'est pas facile. On vit dans un monde qui n'est pas facile. Je ne t'apprends rien. C'est un monde dur, sans pitié.

— Je n'ai pas quatre ans. Ce n'est pas normal que je craque, que je m'effondre comme ça. Je suis une adulte dont les enfants sont eux-mêmes des adultes. J'ai fait tout le chemin à pied exprès depuis Frankstown pour aller au parc, y reprendre mes esprits et me voilà incapable de traverser cette fichue passerelle. J'ai besoin de savoir ce qui m'arrive. J'ai besoin de savoir pourquoi.

— Allons faire un tour. On est bien au parc à cette heure de la journée. On peut se trouver un banc où s'installer. Tu sais que ça ira mieux au parc. Une fois qu'on sera là-bas, Maman nous aura à l'œil… l'œil de lynx !

— Je crois que je suis en train de Le perdre.

— Il est arrivé quelque chose là-bas aujourd'hui ? Qu'est-ce qu'ils ont fait à Tommy ?

— Ce n'est pas Tommy. Ce n'est pas Tommy cette fois. C'est Dieu que je suis en train de perdre. C'est Sa présence en moi qui s'échappe. Ça s'est produit au milieu de la passerelle. Je regardais en contrebas, et tout le parc au bout. Je repensais à toutes les fois où j'y étais déjà allée. Je dis "je pensais" mais en réalité ça se bousculait trop dans ma tête. C'était comme si j'avais eu le corps en flammes et que je coure partout pour tenter de les étouffer en trente-six endroits à la fois sans parvenir à autre chose qu'à aggraver la situation. Et alors j'ai été incapable de faire un pas de plus. J'ai vu Maman après son attaque, je l'ai vue après la mort de Papa, quand elle n'a plus ni parlé ni marché. Tu te rappelles de quel œil noir elle regardait le premier qui suggérait d'aller à l'église ou de prier. Je l'ai vue, infirme, clouée dans son fauteuil et j'ai été incapable d'avancer. J'avais compris pourquoi, une fois retrouvé la parole, elle L'avait maudit et ne voulait plus entendre parler de Lui. Oui, un pas de plus, et j'en aurais fait autant. »

Elle sent le bras de Carl lui entourer l'épaule. Il lui tapote le bras. Ses hanches de costaud s'intercalent, la heurtent, et elle a envie de hurler. Elle sent la fissure commencer en haut du front, l'entend courir, zigzaguer, lui fendre le corps en deux. Ce n'est pas l'os dur de la hanche de son frère qui l'a meurtrie. Elle-même est comme une plaque de glace qui, au premier contact, vole en éclats.

« Un pas de plus et je Le perdais. Pour la première fois j'ai compris Maman. Je savais pourquoi elle avait arrêté de marcher et de parler.

— Je suis là avec toi maintenant. Et on va traverser maintenant jusqu'au parc. Toi et moi on va s'asseoir là-bas sous ces grands arbres. Magnifiques. Les plus vieux de Homewood, à ce qu'il paraît. Tu as sûrement entendu May raconter l'histoire de l'arbre et de l'ours et de notre arrière-arrière-grand-père qui a tué la bête à coups de canifs. Elle et ses histoires ! Tu l'installes avec une bouteille de Wild Turkey, et des histoires, elle t'en débite toute la nuit. De ces trucs à se tordre de rire.

— Maman avait raison. Elle avait raison, Carl.

— Bien sûr. Maman avait toujours raison.

— Mais je n'ai pas envie d'être seule comme elle l'a été à la fin.

— Maman n'était pas seule. Tous les matins à son réveil Gerry et moi on était là. Et Sissy et toi qui veniez à chaque instant. Maman a toujours eu quelqu'un à s'occuper d'elle et quelqu'un à embêter. »

Elle entend les mots de son frère mais n'arrive pas à leur trouver un sens. Elle se demande s'il arrive que les mots aient un sens. Elle se demande comment elle a appris à s'en servir, à s'y fier. Au bout de la voie ferrée, juste au-delà du point où les rails se désintègrent dans l'éclat miroitant d'un nuage à l'horizon, elle aperçoit la forme sombre d'un train. Rien qu'une petit tache, à cette distance. Une tache et un faible grondement qui se détache de l'éternel brouhaha de la ville. Il ne lui a jamais plu de se tenir sur cette maigre passerelle avec un train à rugir sous ses pieds. Quand elle s'y laissait prendre, elle ne savait jamais s'il fallait traverser en vitesse ou sauter sous les roues de la locomotive.

Son Dieu lance la foudre et l'éclair. Il pourrait très bien être dans cette tache, grosse comme une balle de fusil, qui fonce sur la voie. Si on pose l'oreille sur le rail comme Carl lui a montré, on entend les trains bien avant de les apercevoir. D'une certaine façon, les trains sont toujours là, toujours en marche dans un sens ou dans l'autre, à travers le tremblement des rails : en réalité, il suffit d'attendre, d'écouter voir, puis d'attendre ce qui ne peut qu'arriver. Et le Boulet de Canon viendra la percuter. La déchiqueter.

Il peut vous terrasser en un clin d'œil. Il tue par la foudre et l'éclair.

De nouveau elle s'arrête. Oblige Carl à l'imiter, à mi-chemin de la passerelle, à l'endroit où elle a hésité tout à l'heure. Cette fois elle attendra, cette fois elle tiendra bon. Elle le verra grossir de plus en plus et ne détournera pas les yeux, ne se bouchera pas les oreilles, n'arrêtera pas son cœur de battre. Elle attendra là sur la passerelle frémissante et verra.

LE COMMENCEMENT DE HOMEWOOD

femme, sa fuite sur plus de huit cents kilomètres à travers un territoire hostile et dangereux et, au bout du compte, sa réinstallation à Homewood, l'histoire finissant bien ou plutôt, de notre point de vue, commençant bien, puisque la femme en question se trouve être notre arrière-arrière-arrière-grand-mère Sybela Owens. L'idée de cette histoire me trottait par la tête depuis des années, depuis la nuit où j'avais entendu Tante May la raconter après l'enterrement de Grand-Père. Je ne sais pas pourquoi mais le fait d'être de retour en Europe a aiguisé le besoin de coucher l'histoire sur le papier. Peut-être ma visite au camp de concentration de Dachau, peut-être la légende que j'avais entendue à propos de Délos, l'île sacrée d'Apollon où nul n'a le droit de naître ni de mourir, peut-être les repas pris seul dans des restaurants où personne d'autre ne parlait anglais, peut-être le mot grec *helidonè* qui signifie hirondelles et compose un poème parfait sur les oiseaux, peut-être tout cela a-t-il contribué à aiguiser ce besoin. En tout cas me voilà installé dans un café à gribouiller des messages sur des cartes postales. Arrivé à la moitié du tas, je me suis fatigué de chercher à faire le malin et rendu compte que la seule personne à laquelle j'avais besoin d'écrire, c'était toi. Aussitôt dans mon carnet j'ai commencé une lettre. Et c'est à ce moment-là que les premiers mots de l'histoire de Sybela Owens me sont venus. Cinq ou six phrases qui t'étaient adressées et puis la nouvelle a pris le dessus.

C'est la voix de Tante May qui m'a lancé. Assis dans un café en train de regarder le ciel gris la mer grise, et furieux parce que c'était mon dernier matin sur l'île et que j'avais espéré avoir soleil et ciel bleu, assis là à essayer de comprendre pourquoi moi j'étais sur une île grecque et toi en prison à deux mille kilomètres de distance, ce que tout cela signifiait et ce que je pourrais te dire là-dessus, j'ai entendu la voix de Tante May. Elle chantait Seigneur, tends la main, touche-moi. Parmi les cris des oiseaux de mer j'entendais notre église : *Seigneur, tends la main, touche-moi,* la Chorale du Gospel de l'église de Homewood, l'Église Épiscopalienne-Méthodiste-Africaine-de-Sion, qui chantait : *Touche-moi de Ta sainte grâce* parce que *Seigneur, si Tu acceptais de me toucher de Ta sainte grâce, en me touchant Tu me sauverais du péché.* Et Tante May était là à chanter avec eux. Tu la connais, toujours à vouloir chanter plus fort que tout le monde quand le chœur des fidèles accompagne la Chorale. Elle avait l'un de ses drôles de petits chapeaux carrés avec fleurs et voilette. Je l'entendais chanter et la sentais prête à entrer en mouvement. D'un instant à l'autre elle serait au beau milieu de la nef à se secouer comme une jeunesse, à se donner en spectacle avant que les bedeaux viennent la calmer et l'aident à regagner sa place. Je voyais le petit chapeau qu'elle réussit à garder planté bien au centre sur sa tête jusque dans la transe de l'exaltée. Je voyais aussi ses yeux tournés vers le plafond, le plafond jaune sanctifié par la sueur du diacre Barclay et des Hommes du Patronage quand ils installent les échafaudages et y grimpent munis de seaux d'eau et de désinfectant, le cœur cognant un peu moins fort chaque année tout là-haut dans l'air éthéré pour récurer le plâtre afin qu'il brille comme un vitrail, laisse entrer la lumière divine et les prières des fidèles sortir.

C'est à cet instant précis que la nouvelle (ou la méditation que j'avais voulu parer des insignes d'une nouvelle) a commencé. Pour sa partie la plus simple tout au moins. Celle concernant la fugitive et sa course vers la liberté, l'histoire que j'essayais de raconter depuis des années. Le thème devait en être une irrésistible envie de liberté : cette femme entendait vivre libre ou mourir. Une vieille histoire, toute simple, mais parce que l'héroïne en était notre arrière-arrière-arrière-grand-mère Sybela Owens, j'avais besoin de la raconter de nouveau.

Ce qui n'était pas simple, c'était la mise en balance du délit imputé à la fugitive et de celui qu'on t'imputait à toi. Ce qui n'était pas simple, c'était le besoin que j'avais de raconter l'histoire de Sybela de façon qu'elle rejoigne la tienne. Vos deux histoires : comme la racine et comme la branche, mais j'étais trop proche de toi et elle trop loin, sans parler du sentiment de culpabilité, de ma part de responsabilité. Je ne pourrais raconter ni l'une ni l'autre sans m'y impliquer.

Cette femme, cette Sybela Owens notre ancêtre, portait le nom de famille de son propriétaire initial ; quant à son prénom, Sybela, sans doute faut-il y voir une déformation de Sibylle, prêtresse d'Apollon. La Sibylle du mythe grec savait prédire l'avenir mais son pouvoir constituait aussi une malédiction parce que, telle la Noire dotée de son nom bien des siècles plus tard, la Sibylle était prisonnière. Un magicien jaloux l'avait changée en oiseau, mise en cage et privée de parole. Elle ne savait plus que chanter et devint une babiole, un jouet dans une cage dorée, qu'on exposait pour distraire les convives au palais du sorcier. Tel devait être son rôle pour l'éternité, sauf qu'un jour, interrogée par un devin qui avait perçu dans son chant des accents terriblement humains, elle parvint à répondre : « Je m'appelle Sibylle et je veux mourir. »

Sur la plantation Sybela Owens était appelée Belle. Ainsi nommée par les uns parce que les esclaves avaient coutume de ne pas tenir compte des noms incommodes et ironiques que les Blancs leur attribuaient : ils se rebaptisaient entre eux dans une deuxième langue, secrète, une langue dont les formes et les mots répondaient au besoin des captifs d'avoir d'eux-mêmes une image d'être humain. Ainsi nommée par d'autres parce que c'était pratique et que Belle lui allait bien. Ainsi nommée par quelques-uns, plus vieux, parce que ces esclaves se souvenaient d'une autre Noire, une Africaine qui avait vécu vingt ans une cage sur les épaules, équipée d'une clochette, et du coup on savait quand elle approchait, alors naturellement on avait commencé à l'appeler *Bell* (Clochette), par moquerie d'abord, pour railler son orgueil, son entêtement futile par rapport à une situation que la plupart des femmes ne cherchaient plus depuis longtemps à changer, une situation en vertu de laquelle la plantation était peuplée de bébés aux teints aussi divers que les mille couleurs du manteau de Joseph, mais Belle ensuite parce qu'elle n'avait pas craqué, et finalement *Mother Bell* (Maman Belle) parce que, sainte et martyre, elle se promenait parmi eux avec cette horrible machine sur les épaules, mais inébranlable, aussi droite que le jour où la cage de fer lui avait été fixée sur le corps ; et son orgueil était le leur, sa résistance leur rappelait non pas la chute des autres femmes mais l'ignominie de ceux qui les avaient perdues. Ainsi nommée parce qu'ils voyaient en cette superbe Sybela une ressemblance frappante avec l'Africaine, presque une réincarnation de cette reine intouchable envoyée partager leurs souffrances.

Chaque matin les esclaves étaient réveillés au son d'une conque. C'était sûrement à un Noir de souffler dedans. Être debout avant tout le monde alors que le ciel était encore noir et l'herbe glacée de rosée. Oui, il incombait à un Noir de faire cela. Et de faire cela aux autres, qui détestaient l'entendre autant que lui-même détestait d'avoir à se geler, pieds nus, jusqu'à la petite butte où il était censé se trouver tous les matins et, tous les matins, comme s'il avait été un fichu coq, de là-haut souffler à tout rompre dans cette conque jusqu'à temps que d'autres pieds s'ébranlent entre les rangées de cases ténébreuses.

Sybela avait dû entendre la conque matin après matin. Curieusement, au premier jour de sa liberté, quand elle n'entendit que des cris d'oiseaux et le chant des grillons, l'appel de la trompe lui manqua. Quand elle s'écarta du dos compact de Charlie Bell, les trois ou quatre robes dont elle s'était enveloppée comme d'un cocon se déroulèrent. Aussitôt elle frissonna au courant d'air venu se glisser entre ses vêtements et sa peau, brisant le sceau de la chaleur. Elle fixait l'horizon et dans le miroir de ses yeux passait la grisaille du ciel. Du fond des failles entre les collines sombres, de la brume fumait, dense et blanche comme neige ; le calme absolu était encore plus calme, encore plus absolu à cause du bruit, au sol, des oiseaux et des insectes. Redressée, elle sortit le bras des guenilles sous lesquelles dormaient ses enfants et resserra contre elle le grand manteau de sa garde-robe complète. Dans la paix de ce premier matin de liberté l'appel plaintif de la trompe lui manquait et elle détesta l'homme blanc, son amant, son libérateur, le père de ses enfants, endormi à côté d'elle.

Charlie Bell l'avait volée, elle et les deux enfants, il les avait volés à son père, ayant appris que le vieux comptait les inclure dans un lot d'esclaves vendus à un spéculateur. Elle n'avait eu droit à aucun préavis. Soudain le voilà à la porte : un coup impatient, son droit de préemption, comme toujours quand il choisissait de l'arracher à son sommeil. Sans plus de discours que lorsqu'il exigeait son corps, il se fit comprendre. En l'espace de quelques instants tout ce qui dans la cahute pouvait servir et s'emporter fut glané, les enfants réveillés, tous leurs habits enfilés les uns par-dessus les autres et les voilà qui se précipitent tous dans la nuit, dans les bois bordant l'extrémité nord de la plantation. Sans desserrer les dents, il les poussait, la rage au ventre, la rage aux mains, une fureur qu'elle sentait dirigée contre elle, contre les enfants apeurés, même si c'était la forêt qu'il déchirait et maudissait. Et les bois noirs répliquaient, retournaient l'agression : des branches fouettaient la figure des fugitifs, des racines embrouillaient leurs pieds, le bois sec craquait à en réveiller les morts.

Cela commença, comme la plupart des choses entre eux, en silence, la nuit. Au bout d'une heure ou deux ils durent porter les enfants. Charlie Bell prit Maggie, qui était plus grande et plus lourde que son frère, et Sybela mit Thomas dans une écharpe passée en bandoulière sur sa poitrine, non pas parce qu'elle s'inclinait devant la force de l'homme mais parce que, lorsqu'elle se penchait en avant dans le noir, elle essayait de parler à ces sanglots de peur et d'épuisement qu'elle savait l'homme incapable d'apaiser. Maggie s'agrippait à Charlie Bell, le plongeon à travers la forêt devenait un jeu pour elle, la tête enfouie contre l'épaule de son père. Elle s'imaginait à cheval et les saccades du galop, la frénésie des battements de cœur la berçaient, l'endormaient. Le garçon, lui, s'effrayait davantage de la présence de cet homme blanc que du fracas de la forêt. Thomas n'était encore qu'un bébé mais tant bien que mal il avançait sur ses petites jambes arquées, jusqu'à ce qu'il tombe. Sans jamais se plaindre, cent fois il se relevait et lui qui ne remarquait même pas les cris des bêtes invisibles, il ne supportait pas la présence de l'homme, sa colère, et n'avait cessé de geindre qu'une fois serré par Sybela, pour qu'il s'endorme, contre sa poitrine.

Au premier matin de sa liberté elle détourna vite de l'homme blanc son regard, oubliant les coups de poignard de la haine tandis qu'elle écoutait les récriminations de son corps et contemplait le lieu où l'épuisement les avait contraints à se laisser choir. Charlie Bell savait sûrement où ils allaient. Elle avait entendu parler de fugitifs qui, après des semaines de marche, n'avaient décrit qu'un grand rond les ramenant à leur point de départ. Oui, il savait sûrement. Les Blancs semblaient tous connaître la magie reliant la plantation au reste du monde, un monde qui pour elle n'était qu'une poignée de mots entendus dans la bouche des autres. Les mots *Nouvelle-Orléans, Canada, Philadelphie, Cumberland* lui étaient impossibles à prononcer. Sauf en silence dans sa tête : elle les passait au tamis de ses pensées tout comme ce vieux païen d'Orion toujours à tripoter son collier de perles crasseuses. Elle n'entendit pas la conque et s'avisa que pour la première fois de sa vie elle était seule. Malgré ces enfants encore attachés à elle par des fils entortillés jusque dans ses entrailles, malgré cet homme, elle savait qu'elle pourrait tout simplement s'en aller, les laisser, partir, quitte à perdre son sang à grosses gouttes à chaque pas parce qu'elle n'était nulle part et que personne ne regardait, la terre pourrait l'avaler ou le ciel gris peser tel un oreiller géant et étouffer sa vie, son souffle, comme Charlie Bell une fois avait tenté de le faire, et alors il n'y aurait qu'elle à mourir, personne n'apprendrait sa mort, tout comme dans le silence de ce matin-là personne non plus n'entendait ses pensées ; et c'était cela qu'elle ne laisserait pas sur place, le bourdonnement de sa voix parlant toute seule, monotone, éternelle comme le chant des grillons. Elle ne pouvait pas laisser cela, ni l'enterrer et le pleurer ; elle n'était que ce bruit, et ce bruit était seul.

Je voulais insister sur le premier matin libre de Sybela mais avec le chant scandé par la Chorale du Gospel impossible de tenir en place. *Seigneur, tends la main, touche-moi.* Le lamento du refrain, le solo de Reba Love Jackson. J'ai entendu May chanter et Maman Bess raconter ses souvenirs de Sybela Owens et les histoires à son sujet. Je repensais au style de Tante May. J'entendais son rire, ses *amen* et ses alléluias, *je veux me repentir, Seigneur,* les digressions à l'intérieur de ses digressions, toutes ces toiles d'araignée qu'elle tisse et chasse de ses mains. Ses histoires n'existent qu'en fonction de leurs parties, dont chacune est une histoire qui vaut d'être racontée, d'être explorée, pour découvrir les histoires qu'à son tour elle contient. Ce qui paraît divaguer trouve une cohérence quand celui qui écoute comprend le processus, comprend que la voix cherche à tout récupérer, qu'elle proclame *rien n'est perdu*, que loin d'être passif, l'auditeur habite comme tout le reste l'histoire. Quelqu'un s'écrie *Vas-y, raconte*. On l'imite. Lancée, May se met à danser entre les bancs de bois brillants, astiqués par le derrière des fidèles, la même danse depuis le premier matin où quelqu'un a dit *Liberté*. Liberté.

L'une des dernières fois que je t'ai vu tu étais enchaîné. Pas comme Isaac Hayes quand il monte sur scène pour un concert ou qu'il pose pour une pochette de disques, pas cet étalage de chaînes d'or, ironiques et provocatrices, couvrant son torse brun à dix mille dollars la soirée, mais de l'authentique et de l'historique : fers aux pieds et menottes, vingt bonnes vieilles livres de fer traînées sur le marbre des couloirs du Tribunal de Fort Collins, la ville du Colorado où ils vous avaient finalement rattrapés, toi et ton pote Ruchell. J'ai attendu à l'extérieur du Tribunal au cas où je t'apercevrais, où je pourrais attirer ton attention et lever le poing assez haut pour que toi et tout le monde le voyiez. J'ai entendu un agent en civil dire : « Ces deux-là, c'est deux sales crapules. Des négros de la côte est. Dangereux. Recherchés en Pennsylvanie pour meurtre avec préméditation. »

Ruchell et toi étiez menottés ensemble. Dans votre tenue de prisonnier, à rayures, vous étiez les stars dont on guettait l'arrivée. Il y a eu des chuchotements, on vous a montrés du doigt, on vous dévisageait : et les flots s'écartèrent pour vous laisser passer. Dans les yeux des autres prisonniers qui, en tenue verte eux aussi, attendaient d'être traduits en justice, se lisait une attention toute particulière, presque de l'humilité au moment où, impressionnés, ils se sont retrouvés en face de vous, les caïds, les lourdes peines. Vous aviez une belle touffe de cheveux. Et paraissiez plus grands. Les chaînes vous obligeaient à avancer à petits pas : vous balanciez le tronc pour compenser le poids des fers que vous traîniez. Pas rasés. Vous n'avez eu aucun regard pour le troupeau d'agents chassant les curieux. Vous auriez pu être à dix mille lieues de là en train de parler de Coltrane ou de cul. Tout dans l'expression de vos visages démentait ce qui par hasard arrivait à vos corps. Ces habits de prisonnier, toujours trop courts, dans lesquels visiblement vous aviez dormi ; ces bracelets ; ce pas glissé, chaloupé, façon mac, sonnant sur le marbre d'un vestibule où un autre détenu noir venait de passer la serpillière. Vous étiez là tous les deux à sourire, à hocher la tête, à chuchoter à l'intérieur d'une cage de verre. J'ai repensé à l'amuseur public que tu voulais devenir et admiré le spectacle que tu leur offrais.

Des mecs dangereux. De la sale race. Des tueurs.

S'ils avaient repris notre arrière-arrière-arrière-grand-mère Sybela Owens, ils auraient su transformer en spectacle son retour sur la plantation, tout comme ils vous ont exhibés, travestis et entravés, à travers leur Palais de Justice. Parce qu'ils ne vous avaient autorisé ni savon ni peignes ni miroirs ni rasoirs, vous aviez l'air de sortir de votre brousse et d'en avoir rapporté un peu de sauvagerie, qui souillait la propreté des lieux. Sybela elle aussi, si on l'avait rattrapée, serait revenue à moitié sauvage. Ses longs cheveux emmêlés, les ongles cassés et encroûtés, les jupons en lambeaux, les vêtements et la peau imprégnés de l'odeur brute des bois. Elle se serait efforcée d'avancer tête haute derrière les chevaux, au bout de la corde courant de ses poignets au pommeau de la selle. Elle aurait gardé les yeux fixés à mi-distance, par-delà les dos avachis des cavaliers fatigués, au-dessus de la ligne brisée formée par les cases des esclaves que l'expédition avait fini par rejoindre. Ses chaussures auraient disparu, elle aurait eu les poignets en sang. On aurait vu des taches sombres en travers de son dos là où la toile grossière — un produit maison — aurait fusionné avec la chair. La honte dont elle ne parlerait jamais, plus supportable à cette heure qu'elle ne le serait jamais parce qu'à cette heure c'était une brûlante douleur au bas-ventre, qui oblitérait l'humiliation qu'elle se rappellerait et devrait affronter une fois la douleur retombée. Une Noire, sale et puante, capturée et avilie, promenée à travers le quartier des esclaves comme le trophée de guerre qu'elle était, comme le pion qu'elle était dans le grand dessein des chevaliers en selle. Mais c'est la lune qu'elle regardait. Comme vous. De nouveau je m'interroge *pourquoi pas moi*, pourquoi est-ce vous deux qui êtes embrochés, exhibés comme Sybela l'aurait été elle-même si elle avait interrompu sa fuite. Et moi me serais-je rendu coupable du délit de fuite ou bien serais-je resté pour tâcher de m'accommoder d'une situation sans espoir ? Et toi, avais-tu vraiment le choix et entre l'époque de son délit de fuite et le tien, rien avait-il changé ? Aurais-tu pu t'enfuir sans que ce soit un délit ? Existait-il pour te désigner d'autre nom que « hors la loi », et pour définir ton choix d'autres mots que « délit » ?

Maman Bess est descendue de la Butte Bruston à présent. Elle parle de toi et demande de tes nouvelles, dit Que Dieu lui accorde la force elle va traverser la rivière venir te voir. Elle parle de Sybela Owen. Et May elle aussi a vu Sybela Owens. May regardait les grands arbres derrière la maison lorsqu'elle sentit des yeux sur elle, des yeux venus creuser jusqu'à l'endroit où elle rêvassait. Et May laissa ses yeux lentement trouver ceux qui l'observaient. Prudente, elle laissa son regard glisser au bas des arbres rectilignes ; jusqu'à la pente du toit ; et à ce cube de planches, grandes et petites, plein de rythme ; jusqu'au poteau balafré qui soutenait le toit du perron ; pour finalement s'arrêter à hauteur de la vieille femme assise, sombre et fermée tel un poing. Les yeux immémoriaux de Sybela Owens clignèrent à la lumière vive du soleil mais ne tremblèrent pas : ils avaient attendu patiemment comme s'ils avaient eu tout le temps imaginable de voir arriver

May. Alors ce fut au tour de May d'attendre. Elle fit le silence en son for intérieur car les yeux de l'aïeule lui intimaient de se taire, la tapotaient et disaient son nom comme elle ne l'avait encore jamais entendu prononcer. *May.* Et les yeux ne la quittèrent pas, mais au bout d'un instant, qui sembla éternel, May fut relâchée. Non, les yeux de Sybela Owens ne la quittèrent pas mais ils s'étaient rendormis. Parmi les innombrables plis et rides bruns du visage de l'ancêtre, deux volets invisibles étaient venus masquer les yeux. Ils étaient redescendus et bien que May ne pût voir à travers, elle comprenait que Grand-Mère Owens, elle, voyait encore.

« Et je vais vous dire une chose. Mais oui. Écoutez bien parce que je vais vous raconter ce que vous avez encore jamais entendu. Mais oui. Vous l'aurez entendu de May et May sera plus de ce monde depuis belle lurette que vous vous rappellerez encore l'avoir entendu d'elle. Dame oui. Bon, parlons de Grand-Mère Owens. Elle avait du pouvoir. Le genre de pouvoir qui libérait. J'ai entendu les gens le dire et vous aussi peut-être que vous entendrez quelqu'un dire ça et vous penserez ah ! c'est encore des boniments de vieux ou de ces vieilles histoires du Sud auxquelles y a plus personne qui croive mais écoutez-moi plutôt, ce que je m'en vais raconter c'est vrai de vrai parce que j'étais présente, moi, May, j'étais peut-être encore qu'une gamine en barboteuse mais assez futée pour savoir lorsque j'ai senti, assez futée pour laisser ce pouvoir me toucher, oui Seigneur, tendre la main et me toucher et je l'ai senti du haut de ma tête crépue jusqu'au bout de mes doigts de pied crasseux, oui je l'ai senti même si j'étais qu'une gamine, je l'ai senti me soulever, m'élever, au lieu que je reste là à me gratter le derrière, à jouer dans la saleté. Grand-Mère Owens m'a touchée et je l'ai senti. J'ai senti toute la vie s'échapper de moi et en même temps quelque chose de neuf me remplir. Clair et net comme un son de cloche je l'ai entendue dire mon nom. Et dire mille autres choses qu'y a pas de mots pour les exprimer mais ça entrait à flots, ça se bousculait tellement que j'ai senti tout mon être s'écarter pour lui faire de la place. J'ai cru que son pouvoir allait m'éclater en deux. M'exploser net et je me retrouverais à couler du haut de notre butte comme neige qui fond. »

Et Maman Bess disait : Vas-y, raconte-leur. Elle disait : Oui, bravo, vas-y. Et May a continué.

« C'est tout. Terminé. Elle était très vieille et moi toute jeune mais elle m'a quand même laissée sentir le pouvoir. Et je suis là pour en témoigner. Oui, c'est ce que je suis à cette heure : votre Tante May est une témoin. Et je vous dis que cela s'est produit même si je sais pas grand-chose d'autre sur Grand-Mère Owens sauf ce qu'on m'en a raconté, parce que c'est la seule fois que je l'ai vue. Juste avant qu'on la descende de la Butte Bruston. Et ça n'a pas duré un mois, à ce qu'on dit. On l'a enlevée de sa Butte et un mois plus tard elle était morte, un mois après qu'on l'avait descendue. Assez de force encore en elle pour se battre quand on était venu la chercher. Mais elle les avait laissés faire. Je sais qu'elle les a laissés faire parce que si elle avait eu décidé de pas déménager, y a personne sur la terre verte du bon Dieu qui aurait pu faire bouger ç'te femme d'un centimètre. Parce qu'elle avait le pouvoir. J'en suis témoin. Et elle l'avait encore aussi sûr que c'était elle assise dans ce fauteuil à bascule, en jupons, pèlerine et longue robe noires. Il faisait un soleil de plomb et vous croyez qu'elle transpirait ? Elle avait le pouvoir et elle m'en a touché. Elle a changé ma vie. Dame oui. C'est elle qui m'a dit de vivre libre depuis, et d'être témoin du Tout-Puissant depuis. Elle m'a dit qu'un jour viendrait où la ville serait peuplée de sa descendance et les nouvelles générations auraient besoin de connaître la vérité.

« Oui, Seigneur. Tout ceux qui causent du paradis ils finissent pas là-haut. Oh là là… Et tous ceux qui parlent de liberté sont pas forcément libres ni le seront peut-être jamais. Si le Seigneur place sur nos épaules un fardeau si lourd qu'on peut rien bouger d'autre que le pouce, c'est moi qui vous le dis, l'agiter lui tout seul suffit à faire de nous la plus libre des créatures. Prenez Grand-Mère Owens. Elle a connu la souffrance en Égypte. Elle a souffert sous le joug des cruels pharaons. Qui lui disaient quand sauter, quand cracher, et qui la battaient sans pitié si elle sautait pas, crachait pas assez vite pour leur plaire. Car c'est bien de ça qu'il s'agissait. Les méchants pharaons et les Zébreux qui étaient le peuple élu de Dieu, élu pour souffrir et s'endurcir comme fer au feu. Or vous voyez comme moi les gens, vous en voyez tous les jours parader dans le coin sapés comme des rois ou passer au volant de leurs grosses voitures mais ils savent pas qu'ils sautent encore, crachent encore au sifflet. Non ils savent pas. Trop ignorants pour ça. Oh là là… Et si on essaie de leur dire quelque chose c'est aussitôt *Dégage, négro Casse-toi, négresse.* Mais c'est du pareil au même. Les pharaons et les petits enfants zébreux. Sauf qu'y en a quelques-uns comme Grand-Mère Owens qui se lèvent un matin et hop ! disparus. Elle court cent cinquante kilomètres par jour avec des petiots sur le dos, elle et ç't homme blanc de Charlie Bell et les bébés la nuit ils fuient, ils dorment le jour, coupant et recoupant à travers forêts et rivières infestées de loups et d'alligators. C'est pas extraordinaire ? Grand-Mère Owens était guère encore qu'une gamine. À peine plus âgée que notre Shirley assise là mais un beau matin elle s'est levée, a entendu la trompette de la liberté et pris la poudre d'escampette en sachant seulement qu'elle s'arrêterait pas de courir avant d'être libre… »

La première nuit de son premier jour de liberté, les enfants enfin endormis sous son bras, et Charlie Bell une fois calmé, son agitation perpétuelle à présent réduite aux grognements et petits soubresauts d'un chien de chasse en train de rêver, les étoiles et les insectes désormais souverains absolus des ténèbres, Sybela pensa voir une étoile filante et elle se rappela une très vieille histoire, celle de la nuit où le ciel tout entier avait paru lâcher et des centaines d'étoiles en étaient soudain tombées, et le lendemain matin on n'avait entendu ni le coq ni la conque tant de toutes les cases il s'élevait de prières. Les esclaves avaient pris cette nuit enflammée pour un signe de la fin des temps. Et l'histoire disait que personne n'était allé travailler ce matin-là et qu'aucun des Blancs non plus n'était venu hurler. Elle crut voir l'étoile partir, lâcher prise comme une feuille quitte un arbre, puis chuter non pas comme une feuille mais avec le poids mort d'une pierre qui coule. Or les eaux noires du ciel se refermèrent sans la moindre ondulation et elle ne pouvait donc être absolument certaine d'y avoir vu une étoile tomber. Cette vision, du coin de l'œil, libéra l'une des larmes déjà prêtes à déborder, qui glissa, fraîche et brûlante, en travers de sa joue et elle n'en connaissait pas plus la source qu'elle ne comprenait pourquoi telle étoile plongeait, telle autre pas, et, quand elle eut de nouveau les yeux secs, essuyés du revers de la main, elle n'aurait pas davantage su dire au juste s'il y avait eu une étoile qu'elle n'aurait pu jurer avoir vraiment vu, avec ce passage éclair au coin de son œil, une étoile mourir.

« Ils ont été parmi les premiers à s'installer ici à Homewood. Avenue Hamilton, là où Albion débouche. Autrefois y avait des trams sur Hamilton mais Charlie et Sybela Owens étaient arrivés bien avant. La ville se limitait en gros alors à ce qu'on appelle aujourd'hui Northside. Ou le Vieil-Alleghany à l'époque. Quand Grand-Mère Owens est arrivée, ils n'étaient guère qu'une poignée de familles de notre côté de la rivière et quasiment aucune par ici. De sa vie d'esclave elle avait amené deux enfants et elle en a eu dix-huit autres après leur réimplantation. La plupart sont nés sur la Butte Bruston car les autres Blancs avaient fait savoir à Charlie qu'ils ne voulaient pas voir un des leurs vivre avec une Noire alors Charlie a pris ses cliques et ses claques. Jusqu'en haut de la Butte Bruston où y avait personne à essayer de fourrer le nez dans ses affaires. Et au lieu de tuer ces jeannettes il a emmené Grand-Mère Owens là-haut et ce fut le commencement de Homewood. Leurs enfants et petits-enfants sont descendus de la Butte pour s'installer en bas. Puis y a eu d'autres Noirs et toutes sortes d'autres gens à venir ici parce qu'on y vivait bien et que tout le monde était le bienvenu. À ce qu'il paraît, le terrain que Charlie possédait sur Hamilton était maudit. Lui parti, plus rien n'y a poussé, ni plus rien réussi. À ce qu'il paraît Grand-Mère Owens y avait jeté un sort et Charlie avait prévenu tous ces Blancs de pas toucher à son terrain. Il a dit qu'il allait s'en aller pour éviter la guerre mais que mieux valait pas mettre le pied sur le terrain qu'on le forçait à abandonner. Et ce bout de terre maléfique en a fait dégringoler tellement que je me souviens même plus des trois quarts des ennuis rencontrés par ceux qui ont essayé d'y vivre. Vous vous rappelez où habitait ç'te folle qui a étranglé ses bébés et s'est tranché la gorge et où les Témoins de Jéhovah ont bâti là-bas sur Hamilton ç't' église de luxe qui a entièrement brûlé. C'est là. Le terrain est encore vide, y a que des cendres et des pierres noircies : eh bien c'est là que Grand-Mère Owens a d'abord habité. Comme quoi, plus ça change plus c'est pareil. Dame oui. »

Et Maman Bess disait : Vas-y. Disait : Oui ! raconte-leur !

L'histoire de Sybela pourrait s'arrêter là mais elle continue. J'entends encore la voix de May.

« Ça me fait mal. Mal au cœur. Je me rappelle les tout petits. Comme ils étaient beaux. Puis quelqu'un me dit çui-ci est mort ou çui-là mourant, ou Rashad passe au tribunal aujourd'hui, ou Tommy a écopé de perpète. Et moi je me rappelle les tout petits. Je les tenais dans mes bras. Je les voyais une ou deux fois par an à un mariage, à un enterrement ou peut-être au pique-nique de Westinghouse. Assise sur un banc au Parc d'attractions de Kennywood je regarde le manège, j'écoute la musique, et un jeune à peau brune passe devant moi, tenant une gamine par l'épaule, et il me fait un sourire tout penaud ou détourne la tête aussi vite comme s'il reconnaissait pas cette drôle de petite vieille sur son banc, et je sais que c'est l'un de mes tout petits, je me rappelle de la dernière fois que je l'ai vu, que j'ai tapoté ses cheveux crépus et dit : *Eh bien, en voilà d'un grand garçon à ç't'heure*, ou bien : *Dis donc, t'as poussé, t'es un homme maintenant,* et je me rappelle de son petit coup d'œil alors, du même sourire penaud et vous savez quoi, c'est de ça que je me souviens quand j'apprends qu'il a cambriolé un magasin, qu'on l'a envoyé en prison ou qu'il a plaqué une fille qu'il avait mise enceinte, ou qu'il vient le jour du pique-nique de Westinghouse au Parc de Kennywood me demander des sous pour un voyage ou me montrer sa famille, ses petits, qu'il me laisse tenir quelques instants. »

Et mon histoire à moi pourrait s'arrêter là. Sybela Owens est morte depuis longtemps, elle qui se balance sur le perron en pèlerine noire comme les bateaux-taxis restés à l'ancre quand la mer est trop mauvaise pour la traversée jusqu'à Délos. Notre arrière-arrière-arrière-grand-mère Owens regarde May dans les yeux : elle entrevoit au loin, à travers l'enfant, les générations obscures, les tempêtes qui feront pencher la terre plus avant sur son axe. La vieille femme regarde ses enfants tomber du ciel nocturne comme des étoiles filantes, chacun d'eux parfait, chacun d'eux ayant mis un milliard d'années à se former, chacun d'eux extrait de sa matrice en sorte que les cieux noirs s'entrecroisent, à l'infini, des filaments de sa douleur éclatante qui même étirés sans mesure restent incassables et la relient à sa progéniture et relient chaque point lumineux à tous les autres. Cette vision l'aveugle. Elle soupire et croise les poignets sous les ruines de sa poitrine.

Cela pourrait finir ici ou là mais j'ai encore une chose à te dire. La Cour suprême a accepté d'examiner une affaire dans laquelle un groupe de détenus soutiennent qu'ils avaient le droit de chercher à s'évader au motif que les conditions à l'intérieur de la prison constituaient un châtiment cruel et inaccoutumé, et donc une violation des droits de l'homme. Formidable, non ? La Cour a l'occasion de dire oui, l'occasion de forger sa propre version de la Proclamation de l'Émancipation. La Cour pourrait comparer ton délit à celui de Sybela, le prix de notre liberté à celui de la tienne. La Cour pourrait demander pourquoi tu es où tu es et nous autres où nous sommes.

Et donc le combat ne s'arrête jamais. L'histoire de Sybela, la tienne, les liens entre elles. Mais voilà désormais l'histoire ou les fragments d'histoire à l'intérieur de ma lettre : c'est à toi qu'elle est adressée et je vais l'envoyer, et il semble que ce soit mieux ainsi qu'avant. Pour l'instant. Tiens bon.

Composition Nord Compo
et impression Bussière
à Saint-Amand (Cher), le 13 octobre 2004.
Dépôt légal : octobre 2004.
Numéro d'imprimeur : 043936/1.
ISBN 2-07-076731-0./Imprimé en France.

14927